JN215567

ラストで君は「キュン!」とする

君との365日

365 days with you

PHP

――……チク、タク、チク、タク。

今この瞬間にも、時間は一分、一秒ずつ流れている。その流れは時にじれったいくらいにゆっくりで、おどろくくらいに速い。一年は365日もあるのに、あっという間に過ぎ去ってしまったように感じることって多いよね。

そんな移りゆく時間の中で、わたしたちは恋をすることがある。


一日ずつカウントダウンをして、迎えた百日目に待っていた恋。

毎朝の通学電車が特別な時間に変わるような、一瞬で落ちる恋。

一週間のおためし期間で少しずつ相手を知っていきはじまる恋。

二年前の後悔を糧に、今度こそ告白したいと強く願うような恋。


長い時間をかけた恋も、瞬間的に落ちる恋も、どちらもとても尊い。

だってそれは、君だけの大事なものだから。ドキドキしたり、キュンとしたり、たまには泣きたくなったりするような、そんな気持ちは君だけの特別なものだから。

時間は流れるもので、限りあるものだからこそ特別で大事だってよく言われる。もしかしたら、恋と似ている部分もあるかもね。


この本にも、そんな恋と時間を感じられるような物語がたくさん詰まってる。

アルバムのページをめくるように、君の大事な時間を思い出すように、いろんな恋をのぞいてみてほしい。いろんな人の特別な瞬間を、一緒に味わってみてほしい。

そして、君だけの特別な気持ちと時間も、この本の物語みたいに大事にしてもらえたらいいな。


——……チク、タク、チク、タク。

今日も時間は流れ、君の、だれかの胸の鼓動と重なっている。

contents もくじ

●執筆担当

落合由佳（p.17～25、66～76、85～95、105～114、174～178）
神戸遥真（p.2～3、8～16、40～45、115～123、156～164、179～191）
ココロ直（p.46～54、77～84、96～104、136～146、165～173）
八谷 紬（p.26～39、55～65、124～135、147～155）

episode - 01

5分後に大事な話があります

一学期の期末テストも終わってすぐの七月、ある日の放課後。

器楽部で部長を務めている高二の咲哉は、副部長の実乃と駅前のファストフード店にいた。いよいよ夏休みに行われるコンクールに向けて本腰を入れる時期で、部活がなかったその日、練習メニューなどについて話し合おうということになったのだ。

それぞれポテトやドリンクなどを注文し、ふたりがけのテーブル席に向かい合って座る。すると、実乃が急に真面目な顔になって、こんな宣言をした。

「5分後に大事な話があります」

最初、咲哉はなんだかポカンとしてしまい、一拍遅れて返事をした。

「えっと……なんで5分後？」

大事な話なのであれば、むしろさっさと聞いてしまいたい。

けれども、実乃はいつもの明るい雰囲気はどこへやら、シリアスな表情で首を小さく横に振る。

「なんというか、話すのに覚悟が必要で」

「覚悟……？」

「なので、5分後に話します」

そして、実乃はスマホのアプリを起動し、5分間のタイマーをかけた。


【あと5分】

タイマーの数字が、ひとつずつ減っていく。たった5分、されど5分。時間の進みはじりじりと遅く、咲哉はそわそわしてしまう。

「ねぇ、本当になんの話？」

「5分たったら話すから」

実乃は咲哉を手で制し、精神統一をするかのように深呼吸している。

大事な話って、なんだろう。部活のことだろうか。

咲哉が所属する器楽部では、受験もあって忙しい三年生のかわりに、部長などの役職は二年生が務めることになっている。練習メニューや日程を決めたり、部員同士のもめごとを仲裁したり、部長会議に出席したりとやることは多い。咲哉もこの数か月、慣れない部長職で日々奔走していた。

でも、咲哉には副部長の実乃がいる。困ったことがあればなんでも相談し、ふたりで解決策を話し合ってきた。なので、大変ではあっても、ひとりでくよくよ悩むようなことはしたことがない。今日だって、その部活の話をするためにここに来たのだ。

だから、こんなふうにもったいぶる理由はない気がする。


【あと4分】

実乃は瞑想するような表情でまぶたを閉じて、じっとしている。

もしかして、部活以外の話なんだろうか。

咲哉と実乃は、一年生の時から同じクラス。しかも部活では部長副部長の仲なので、女子の中ではいちばん親しい。先日行われた期末テストの前にも、ふたりで何度か図書館で勉強をした。実乃は化学が大の苦手で、化学が得意な咲哉はぜひ教えてくれとせがまれたのだ。

夏休みといえば部活のコンクールのことで頭がいっぱいだったが、咲哉も実乃も予備校の夏期講習に申しこむ予定もあった。その講座のこととか？

「話って、もしかして予備校の――」

「タイマーがゼロになったら話すから！」


【あと3分】

部活や勉強の話じゃない、としたらなんだろう。

友だちとの間に、何か問題が起きたとか？

クラスも部活も同じなので、実乃の学校での交友関係を咲哉はおおむね把握している。実乃は自分の意見がはっきりしている性格ゆえ、友だちと意見が対立することが少なからずあり、咲哉に相談してくることもあった。咲哉にはかんたんなアドバイスしかできないけど、それでも実乃は「すごい、参考になった！」といつも言ってくれ、問題が解決したら笑顔で報告してくれる。そういうのは、信用されているようでなんだかうれしかった。

でも、友だちとのことなら、こんなふうに時間をかけて覚悟を決める必要はないよな。


【あと2分】

話すのに覚悟が必要な話、ということならば。

恋愛のこと、だろうか。

咲哉と実乃は、性別を超えた親友のような関係だった。咲哉にはこれまでそんな女友だちはおらず、実乃との関係を気に入ってもいる。

だけど胸の奥では、少なからず、実乃を意識している自分もいた。

実乃は大事な友だちで、下手なことをして気まずくなりたくなかった。今みたいな関係でいられるなら、そのほうがいいと思っていた。

咲哉は、思いつめたような表情でスマホのタイマーを見つめている実乃を見る。

実乃も、同じように想ってくれていたんだろうか。

それで、自分に告白してくれようとしている、とか……？


【あと1分】

意識しはじめたら、たちまち心臓がバクバクと鳴り出した。顔の表面も、耳の先もじわじわと熱くなっていく。

タイマーは、残り1分を切っている。

このあと、実乃に本当に告白されたらどうしよう。もちろん返事はOKに決まってる。

でも、それなら。

自分のほうから告白したい。

男なんだから、みたいなことはふだんなら考えない。古くさい感じがするし。

それでも、好きな子の前でくらい、かっこよく決めたい気持ちはある。

残り30秒。どんな言葉がいいのか、頭をフル回転させて考えた。

残り20秒。緊張で全身が強ばってきて、難しい言葉は口にできなそうだと思った。

残り10秒。どうしようもなく鳴る胸の鼓動を聞きながら、大きく深呼吸。
5、4、3、2、1――。
ピピピピピピピピ！

「実乃のことが好きです、つき合ってください！」

「化学のテストで赤点取っちゃった！　ごめんなさい！」

がばっと頭を下げ合って、それから「へ？」とあげたまぬけな声まで重なった。

「……え、化学？」

実乃はあわあわしながらタイマーを止めて説明する。

「か、化学、あんなに勉強教えてもらったのに赤点で……追試になっちゃったの。もう本っ当に申しわけないし、どう謝ろうかずっと悩んでて、それで5分欲しかったんだけど……それより、その」

実乃はたちまち顔を赤くし、そしてそれ以上に顔を赤くしている咲哉を見て笑った。

「コクられちゃった」

もうどうしようもなくて、咲哉は天井を仰ぐ。

「……追試の前に、また勉強教えてもらえる?」

咲哉は両手で丸をつくってそれに答えた。

「ありがとう! ――わたしも、咲哉のこと好き。よろしくお願いします!」

ふたりはそっと視線を交わし、それからたくさん笑い合った。

♥ episode - 02

二週間ごとのカノジョ？

だれかのためにプレゼントを選ぶ姿って、なんて微笑ましいんだろう。

雑貨店で働く沙也は、お客さんからプレゼント選びの相談を受けることがある。その日、沙也に声をかけてきたのはひとりの男子高生だった。

「おねーさん、何か女の子が喜ぶプレゼントってないすかー？」

ふわりとした無造作ヘア、耳には校則違反であろう小さなピアス。高校の制服は軽く着崩し、スクールバッグにはぬいぐるみのようなパスケースをつけている。

うわあ、チャラい感じの子だな。

少しぎょっとしたけれど、沙也はにこやかに対応した。この男子高生が探しているのはおそらく、彼女へのプレゼントだろう。高校生のお小遣いでも無理なく買えて、かつおしゃれで気の利いた商品といえば……。

沙也は男子高生を、コスメの並ぶ棚の前に案内した。

「お客さま、こちらに並んでいるマニキュアはいかがでしょうか。カラーバリエーションが豊富で値段もお手頃。しかもお湯でかんたんに落とせるので、十代の女の子にとても人気の商品なんですよ」

「うわ、すっげ！　めちゃくちゃいろんな色あって、迷いますね」

「ですよね。だけどこの中から、お相手の女の子のイメージにぴったりの一本を選び抜いてプレゼントしたら、きっと喜ばれると思うんです」

「あー、たしかにウケよさそう。だけど何をヒントに選んだらいいんだろ」

難問にチャレンジするような表情で、男子高生は腕組みした。

「お相手の好きな色はご存知ですか？」

「んー、わかんないです。でも、ペンケースとか定期入れは、淡い色だったような」

「淡い色、ですね。お相手はどのような雰囲気の方ですか？」

「えーと、どっちかっていうと控えめで、ふわっと春みたいな感じ」

「春……。でしたら、このあたりの色はいかがでしょう」

いくつかマニキュアを手に取って、比べながら相談する。男子高生は悩みに悩み、

「――よし。あの子は優しいイメージだし、やっぱりこの色だな」

と、やわらかな桜色のマニキュアを選んだ。

「プレゼント、喜んでもらえるといいですね」

レジでマニキュアをラッピングして渡すと、男子高生は人なつっこい笑顔を見せた。

「はいっ。あ、おれ、神山玲っていいます。おねーさん、アドバイスありがとー！」

ぶんぶん手を振って、玲は満足そうに店を出ていく。その様子を見て、あの子のプレゼント選びの手伝いができてよかったと、沙也は心からうれしく思った。

玲が再び店に現れたのは、それから二週間後のことだった。

「おねーさん、こんにちは。またマニキュア買いに来ましたー」

あれっ？　と沙也は思った。この前、桜色のマニキュアを買っていったばかりなのに。

玲はいそいそとコスメコーナーに向かい、棚をしばらく物色すると、

「あ、この色、あの子のキラキラしたイメージに合う～！」

と、大粒のラメの入った華やかなゴールドのマニキュアを買い、ご機嫌で帰った。

その二週間後にも、玲は「このクールな色があの子にぴったりじゃん！」と、さわやかなブルーのマニキュアを買った。その次の二週間後には、「大人っぽいあの子にヤバいくらい似合う色だ」と、落ち着いたボルドーのマニキュアを選んで購入していった。

あの子の彼女って、二週間ごとにずいぶんイメージが変わるんだなあ。

沙也は不思議に思いながら、玲の接客を続けた。

それからさらに二週間後、玲は友人らしい男子とふたりで来店した。玲と同じく軽い雰囲気のその男子は、

「玲、それはいったいどのカノジョにあげるのかなぁ？」

と、マニキュアを選ぶ玲を冷やかすように言った。

「チサ？　ナナ？　それとも最近いい感じのアイカか～？」

「全っ然ちげーし！　つか、秘密でーす」

聞こえてしまったふたりの会話に、沙也はぎょっとした。

え、『どのカノジョ』って、どういう意味？　もしかして彼女が何人もいるの？

二週間ごとに彼女のイメージが変わるなあとは思っていたけど、実際に変わっていたのはイメージじゃなくて、彼女そのものだった……とか？

本当のところはわからない。だが後日、店内で玲を見かけた女子高生たちが、

「あそこにいるの、A校の神山玲じゃん。かっこいいね。今カノジョいるのかな」

「いないわけないって。モテるからしょっちゅうカノジョ替えてるらしいよ」

と、噂しているのを耳にした。実際に、玲が両サイドに女子を連れて歩いているのを、沙也自身も目撃した。

なーんだ。見た目通りの、チャラい遊び人だったのか。

一生懸命プレゼントを選ぶ姿が好印象だったぶん、沙也はがっかりした。まるで悪事

の片棒を担いでしまったような、そんな気さえするのだった。

ある日、沙也が新色のマニキュアを並べていると、玲がやって来た。

「おねーさん、こんにちはっ」

「あ、こんにちは。いらっしゃいませ」

また来たのか。なんて思っているのがバレないよう、沙也は精一杯口角を上げる。玲は目ざとく新色のマニキュアを手に取ると、はしゃいだ声をあげた。

「このひまわりみたいに元気な黄色、いいじゃん。まさにあの子のイメージカラー！」

「わー、そうなんですか」

沙也はつくり笑顔でうなずいた。

「今度おつき合いされている彼女さんは、こういう雰囲気の方なんですね」

「今度？」

玲がぽかんとする。その表情を見て、しまった！　と沙也はあわてた。

「おつき合い……カノジョ？」

「あっ、いえ、その」

うっかり余計なことを言ってしまった。どうしよう。動揺する沙也を見て、玲ははっとしたような顔をすると、そそくさと店から去っていった。


どうしてあそこで口を滑らせてしまったんだろう。

謝りたいけれど、玲はもうお店に来ないかもしれない。沙也は自分の発言を後悔しながら、もんもんとした日々を過ごした。

玲が気まずそうに店を訪れたのは、沙也の失言から二週間後のことだった。

「この前はプライベートなことに触れてしまって、本当に申しわけありませんでした！」

沙也が駆け寄って頭を下げると、玲は「や、全然」とばつが悪そうに手を振った。

「ただ、おねーさん誤解してます。マニキュアは、女子の友だちにあげたくて買ってたんです。そもそもおれ、今度も何も、つき合ってる彼女なんていたことないし」

「そうでしたか……。どちらにせよ、大変失礼いたしました。マニキュアは、お友だちのみなさんに喜んでいただけましたか?」

「みなさん、じゃないです」

「え?」

聞き返すと、玲は真っ赤になってうつむいた。

「買ったマニキュアはぜんぶ、ひとりの女の子のためで……しかも渡せてないんです」

しばらくして、ぽつりぽつりと玲は話しはじめた。玲が片想いをしているという、その女の子のことを。

「あの子はふんわり優しく見える日もあれば、キラキラ華やかに見える日もある。授業中に発言する姿はクールだし、読書する横顔は大人っぽい。体育でダンスした時は、ひまわりみたいに元気だった。雰囲気やイメージが、くるくる変わるんです。あの子のことを思い浮かべると、おれの中でたくさんの色があふれるんです」

玲はシャツの胸元をぎゅっと握り、沙也を見た。

「おれ、これからその子と会う約束してて。告白して、今まで買ったマニキュアをプレゼントしたいんですけど、もうドキドキしてヤバい。おねーさん、何かいい告白のセリフってありませんか？」

ああ、そうだったのか。沙也は玲のことを、二週間ごとに彼女を替える遊び人だと思いこんでいた。けれど本当は、ひとりの女の子への恋に悩む、普通の男子だったのだ。

この子の背中を、押したい。力をこめて、沙也は玲に答えた。

「好きな人のすてきなところをたくさん見つけられる、あなたもとてもすてきです。あなたのその気持ちを、そのまま伝えればいいと思います。がんばって！」

「……は、はいっ！」

大きくうなずき、玲は店を飛び出していく。その後ろ姿に、沙也はエールを送った。

「またのお越しを。次は、どうぞおふたりで」

episode - 03

百年後の星降る夜に

あの人に出会ったのは、星の降る祭りの日だった。

中学二年の夏休み、私は祖母と叔父夫婦が暮らす家にいた。そこは東北の小さな島で、はっきり言って何もない。もちろん友人だっていないし、いとこはすでに家を出ていたし、そこで二週間も過ごすなんて、という感じだった。

だから親族以外にだれかと会話をする機会はなかった。

「いい絵を描くね」

そこへ現れたのが、あの人――高校生ぐらいに見える男の人だった。その人は祖母の家から歩いてすぐの浜辺で絵を描いていた私の後ろに突然現れ、そう言った。

おどろいた私はあわててスケッチブックを抱きしめた。はずかしかったのだ。美術の成績は可もなく不可もなくで、いい絵だなんて言われたことがない。それに絵を描くのが好きなことはだれにも言っていないから、趣味の絵を人に見せたこともない。

夏の午後、日陰にいた私の目に、その人の優しい顔が映る。「いきなりごめんね」と彼は波の音ととても合う声音で言った。

私は返事もろくにできず、急いで道具を片づけ逃げるようにその場をあとにした。知らない人に声をかけられたという緊張感と、絵を見られたというはずかしさ、そして何より「いい絵」だと言ってもらえたおどろきで、いっぱいいっぱいだった。

「おかえり。ねえ、今夜のお祭り、美月ちゃんも浴衣着ていってきたら？」

帰宅した私に気づいた祖母がそう言ったのをなぜかよく覚えている。たった今すぐそこであったことに痛いぐらいに跳ねる心臓と、祖母のそのおっとりした口調が合わなくて、印象に残ったのだろう。

その日から、島ではお祭りが開催されていた。『景星祭』と名のついたそれは、島にひとつだけある神社で行われる三日間の夏祭りだという。神社とかかわりがある叔父夫婦は朝からその準備に忙しそうだった。今年は流星群が重なったから特別な祭りになるのだと言って。

行く気なんてさらさらない私は、祖母の言葉にあいまいに返事をしてから部屋にこもり「いい絵」とほめられた自分の絵を眺めていた。海と空とカモメ。見えている色ではなく好きな色で塗りたくったそれが「いい絵」なのかはわからない。

それでもうれしさに似た高揚感があって、ふわふわとした心地だった。

そのせいか、次の日の私は朝からあの人のことが気になってしかたがなかった。どこの人なのか。名前はなんというのだろう。祖母に聞けばわかるだろうか。でもどう聞いたらいい？　そんなことをあれこれ考えた結果、意を決して浜辺へ向かったのは午後三時を過ぎたころだった。

もちろんそこにいるという保証はなかった。だからこそ、あの人らしき背中が見えた時、胸がきゅっとした。他にはだれもいない小さな砂浜にあの人は座っていて、その白いシャツが太陽の光を受けてまぶしかった。

こんにちは。おずおずとそう声をかけた私に、その人はゆっくりとふり返って朗らかな笑みを見せてくれた。

その人は星合悠と名乗った。近くに住んでいて、十七歳だという。

年がさほど離れていなかったためか、その雰囲気からか、昨日の不信感が見事になくなっていろんな話をした。

そして私は彼がスケッチブックを持っていることを目ざとく見つけて、彼もまた絵を描く人だと知った。そのうえ、見せてもらった絵はどれもすごいとしか言いようがないほど精密で、白黒写真かと思うほどの美しさだった。

「これ、この島の風景ですか?」

「そう。見たままにしか描けないからつまらないけれど」

その言い草に私はまたおどろいた。鉛筆だけで描いたとは思えないほどに、描かれたものの質感がわかる。電信柱は木で、道は土。建物の屋根はトタン、そこにつけられた看板の錆び具合。

「画家の作品って言われても信じますけど」

そう言った私に彼ははにかむような顔をして「画家にはなれないかなあ」と言った。

それがなんだかとてもやるせないような気持ちを呼び起こして、私は「こんなに上手なのに」と抗議したのを覚えている。

「君は？」

そんな私の態度を受け流すように、彼はそう聞いてきた。

私は答えることができなかった。人のことを言えない。たぶん無理、という言葉が喉元まで出かかった時、彼は優しく微笑んだ。

「なりたい、って思うのは自由だよ」

今でもその時のすべてを思い出せる。彼のやわらかい声、穏やかな波の音、遠くのカモメの鳴き声、夏の日差し、潮のにおい。何気ないひとことだったかもしれない。でも私にとっては、何よりも大切なひとことだった。

「なりたい、です」

だからそう言えた。初めて口にした。画家、イラストレーター。そんな絵を描く仕事が将来できたら、と考えていた。その想いを初めて他人に告げた。

「……でも、言えなくって」

同時に、胸の内も話してしまいたくなったのだろう。それかあの人の優しさに甘えたのかもしれない。

「言えない？」と聞き返してくれた彼に、私は父の姿を思い出しつつ、ぽつりぽつりと話をした。

私の両親はともに医者だった。父方の祖父はいわゆる町のお医者さんで、両親があとを継いでいた。私の他に子はおらず、周囲には私も将来は医者になってあとを継ぐのだと思われていた。

『せっかくの夏休み、ずっと勉強するのも息が詰まるだろう。おばあちゃんの家に行ったらどうだ。気分転換になるんじゃないか』

夜勤明けの父がそう言った時、私は申しわけなさでいっぱいだった。

ずっと勉強なんてしていない。成績は悪くならないように努力していたけれど、本音では勉強よりもずっと絵を描いていたかった。

話を黙って聞いてくれたあの人は、なるほどとうなずいてから静かに言った。

「たしかに、ご両親は君が医者になってくれるかも、と期待しているかもしれない。でもそれと同じくらい君に好きな道を選んでほしいとも思ってるかもしれない。本当のところなんて、聞いてみないとわからないよ」

他人の気持ちなんて、想像でしかないんだよ、とその人は続けた。

「未来をどうするかは、他人じゃなくて、自分で決めることだよ。なりたいものになれる可能性があるなら、あきらめてほしくない」

とても優しく、そして強い光をたたえた瞳だった。私が絵に描くなら何色に塗るだろうか。太陽のようなあたたかみもあるけれど、黄色じゃない。きっと薄いうすい青色を重ねるだろう。消えてしまいそうだけれど、そこにたしかにある色として。青い空も青い海も近づけば消えてしまう、手に入らない青色。

そう、手に入らない青色。あの人はそんな瞳をしていた。人にはなりたい気持ちは自由だと言ったのに、自分は画家にはなれないと言った彼。

「あの、明日も会えますか?」

そんなあの人に、私は勇気を出してそう言った。

「明日って、たしか流れ星が見れるんですよね。二〇一四年の今年はお祭りと流れ星の見える日が重なる特別な日だって。だから、その、もしよかったら一緒に……」

そこまで言って止まってしまった。弱気になったりあきらめたりしたわけではない。私の言葉にあの人は時が止まったかのようにこちらを見つめていて、おどろいたのだ。だけどそれはほんの数秒。彼はあわてたように笑って「いいよ」と言ってくれた。

「知ってる? 景星祭の日の流れ星に願いごとをすると必ず叶うって」

もちろん知らなかった私は、ならなおさら見たいですと伝え、この浜で日暮れごろに待ち合わせることを約束した。また明日と別れてからも、私はしばらく彼の背中を見つめていた。夕焼けにはまだ少し遠い、それでも濃さが増した太陽が照らす彼のその姿をずっと覚えていたいと、なぜか強く思っていた。

次の日、私は叔母に浴衣を着付けてもらい、約束の海へと向かった。彼はすでにそこにいて、シャツの襟から見えるうなじが少し赤くなっていたのを覚えている。

浴衣姿の私を見た彼はよく似合うとほめてくれ、そして絵に描いていいかな、と聞いてきた。はずかしかったけれどうれしくもあって、私は海を背に立ったまま絵を描く彼をずっと見つめていた。

やがて暗くなりはじめたころ、彼は絵を描くのをやめ、私はその隣に腰を下ろした。どんな絵か見たかったけれど、彼が「まだ待ってて」というのでじゃあまた今度見せてもらおうと思っていた。そう、その時は……。

まだ流れ星には早かった。極大日とはいえ、見えるのは夜九時過ぎから。

「私、帰ったら親に話してみようと思います」

空の端が濃い藍色に変わるのを眺めながら、私は話しはじめた。

「絵はまだまだですけど、がんばります」

「応援するよ。それに君の絵は、本当にいい絵だよ」

僕にはあんなふうに描けないから、とあの人は言った。だから私も「悠さんみたいな絵は私には描けません」と伝える。

前の日、彼がなれないと言った言葉を、ずっと反すうしていた。どうしてそういう思いに至ったかはわからない。見ず知らずの私に優しい言葉をかけられるぐらいの人なのだから、きっと何かしら事情はあるのだろう。それでも。

「約束、しませんか」

私を励ましてくれたように、私も彼を励ましたかった。

「約束?」

「いつか、おたがい画家になって、一緒に展覧会を開きませんか?」

余計なお世話かもしれない、そう思いながらも言えたのは私がまだまだ子どもだったからだろう。あの時は精一杯、考えたことだった。

うす暗くなる中、彼は私をじっと見つめて、それからゆっくりと微笑んでくれた。

「わかった、約束しよう」

その声は、言葉は、私が聞いたあの人の言葉の中で、どれよりも澄んでいて、どれよりもきれいだった。

うれしさと同時に気はずかしさも覚えた私は、まぎらわすように空を見上げて、ひとつの流れ星を見た。白い線を引いて一瞬で消えたそれに、私は願いごとを唱える。

そして見えたことを報告しようと隣を見て、私は固まった。

そこに、あの人はいなかった。

理解が追いつかなくて、数秒遅れてあわててまわりを見渡すも人の気配はどこにもない。それどころか彼が座っていたであろう痕跡すら、そこには感じられなかった。ただひたすらにくり返す波の音と遠くから聞こえてくる祭り囃子だけが耳に残っている。

やっぱり気にさわることを言ってしまったのだろうか。不安でその夜は眠れず、翌朝私は意を決して祖母に尋ねたのだ。

「星合さん……ああ、昔は向こうにあった家だけど、今はもうだれもいないよ」

その答えを聞いた時は余計に混乱した。だれもいないはずがない。だって私は昨日、あの浜辺でたしかに一緒に星を見たのだ。

高校生の悠さんって人が、と言った私に、祖母は不思議そうな顔をして言った。

「私が子どもの時に亡くなった人が悠さんだったと思うわ。結婚もしてなかったから、家もなくなって……そうそう、画家さんだったのよ」

その言葉で思い出したのは、あの人が描いていた絵だった。島の風景だと言っていたけれど、私にとってはなつかしく感じるような、古い映画のようなあの絵。

「美月ちゃんは、景星祭の奇跡を体験したのかしらね」

理解の追いつかない私に、祖母は優しく教えてくれた。

景星祭と流星群が重なる年は、奇跡が起きる。それは死者に会えたり、少し未来を見たり、人によってちがう。

「だけどね、それはその人にとって大切ですてきな出会いになるのよ」

信じられない私に祖母はそう言って、手を重ねてくれた。

祭りの奇跡。そう言われたところで信じられるわけがなかった。だから私はその名を検索した。星合悠、画家、と。

出てきた写真は、晩年のものなのか大人だった。けれどそこにあの人の面影はたしかにあった。そう、そしてあの人は約束どおり画家になっていた。

そして私は、彼の代表作を見て、奇跡を信じることにしたのだ。

それから、十年。

私は再び、あの人と、星合悠と出会ったこの島に立っている。

あの夏が終わるころ私は両親に自分の気持ちを打ち明け、そこから必死に絵を描き続けた。高校も大学も美術の道を選び、夢を、約束を叶えるためにずっと走ってきた。

まだ道は途中。画家というには早い。それでも。

この日のために今もてる精一杯の技術と熱量で、絵を描いてきた。あの日の海と、あの日の彼を。

今日は景星祭。しかも流星群の極大日が重なる特別な年だ。

私は島の神社に飾られた二枚の絵の前に立つ。叔父夫婦に話したところ、神社も祭りの実行委員会もこころよく引き受けてくれた。私の絵と、彼の絵を並べて飾ることを。

あの日見つけた、そして奇跡を信じた、彼の代表作。彼のあの精密で美しいタッチで描かれた、浴衣を着たあの日の私の絵。

『橘美月　百年前の星降る夜へ　二〇二四』

『星合悠　百年後の星降る夜に　一九二四』

息を吸う。願いごとが叶ったと。ようやくこの日が来たと。

そう、今日は景星祭の特別な日――奇跡が起こる日。

並んだ絵に背を向けた。今から、行かなくちゃならない場所がある。

いるだろうか。わからない。それでも。

百年後の今日、私はあの海へ行く。十年前にあの人と出会った、あの海へと。

♥episode - 04

25年前のラブレター

「ママ、聞いて聞いて！」

小学六年生のミコは、その日、家に帰るなり母親の美智のもとに駆け寄った。美智は現在、在宅で仕事をしているので、ミコの帰宅時にはいつも家にいる。

美智が「どうしたの？」とノートパソコンから顔を上げると、ミコはたちまちもじもじしはじめ、そしてランドセルから一通の封筒を取り出した。

「ラブレターもらっちゃった。どうしよう……！」

美智は仕事を休憩することにして、ふたり分の紅茶とお菓子を用意した。そして、「これは、25年前のことなんだけどね」と話しはじめた。

高校三年生の時、美智は一通のラブレターを受け取った。放課後、帰宅しようと下駄箱に行くと、スニーカーの上に花柄の封筒が置かれていたのだ。

封筒の表には『小平美智様』と書かれていた。そして、中には便箋が一枚。くっきりした力強い字で、同じクラスになってから美智のことが好きだったこと、よければつき合ってほしいということなどがつづられている。

こんなものをもらったのは初めてで、うれしい反面、とっても困った。なぜなら、封筒にも便箋にも、差し出し人の名前がなかったからだ。

もしかしたら、いたずらという可能性も考えられた。でも、便箋の文字はまっすぐで、内容からも嘘やからかいのようなものは感じられない。

美智がその場で悩んでいると、「よっ」とだれかが声をかけてきた。

「あ、大輔くん」

大輔は二年生の時から美智と同じクラスの、サッカー部の男子。今日もこれから練習なのか、ユニフォームに着替えている。

「それ……」

大輔が封筒に気がついたので、美智はかんたんに事情を説明した。

「どう思う？　やっぱり、いたずらかな？」

「それは……どうだろう？」

大輔は困ったような笑みを浮かべて美智に返す。大輔は明るく話しやすい性格で、美智はいつもいろんなことを相談してしまう。でも、こんな相談は迷惑だったかも。

「ごめんね、練習なのに引き留めちゃって」

「それはかまわないけど。そうだよな。名なしのラブレターがあったら、気になるよな」

ふたりして考えこみ、そうだ、と美智はひらめいた。

「目撃者を探したらいいのかも！」

「目撃者？」

「わたし、今日は掃除当番だったから、少し前にも昇降口を通ったの。その時、手紙はなかったと思うんだ。つまり、手紙はそのあとに入れられたってことだよね？」

「まぁ、そうだな」

「その時間にここを通った人を探そう！」

すると、大輔はあわてたように美智を止めた。

「放課後に昇降口を通る生徒って、すごくたくさんいない？」

「たしかに。目撃者探しは難しいか……あ、じゃあ筆跡だ！」

「筆跡？」

「『同じクラス』って書かれてるから、うちのクラスのだれかってことでしょう？　字を確かめたら、だれかわかりそうじゃない？」

「筆跡って、そんなにかんたんにわかるもの？」

「きっとわかるよ！　特徴がある字だし。そういえば、日直の子が、集めた古文のノートを先生のところに持っていってたんだよね。古文の先生に頼んだら、見せてもらえないかな」

「そ、そこまでするの？」

「すごく気になるし、これじゃ、返事もできないもん。うん、やること決めたら、なんかすっきりした！　大輔くん、話、聞いてくれてありがとね！　わたし、ちょっと行ってくる！」

そうして、美智がまわれ右をして歩き出そうとした時だった。

大輔だ、美智の腕をパッとつかんだっ

「行かないで」

「え、なんで？」

「その、なんていうか、行く必要、ないっていうか……」

もごもごしながらこちらを見下ろす大輔の顔は、どんどん赤くなっていく。

「それ書いたの……実は、おれなんだ。言い出すタイミング、わかんなくなっちゃって」

そして、大輔は「あー」と声を漏らすと、その場にしゃがみこんで両手で顔を覆った。

「名前書き忘れるとか、カッコ悪すぎ」

「えー、それでそれで？　ママはそのあとどうしたの？」

「もちろん、ちゃんと返事したよ。わたしも、彼のことは前から好きだったし」

「ひゃー、そうなんだ！　すごーい！」

「手紙を書く時に緊張しすぎて、自分の名前を書き忘れたんだって。そんなふうに、すごく勇気を出して手紙をくれたことがうれしかったかな」

「ねぇ、その『大輔くん』って、もしかして……」

その時、玄関のドアが開く音と、「ただいまー」という声がした。

「営業先がうちの近くだったから、早めに帰ってきちゃった」

「パパおかえりー！」と美智とミコは声をそろえ、パパを――大輔くんを迎えた。

♥ episode - 05

十年前の恋の決着

高校三年生の隆人はある晩、スマホのチャットアプリが告げたメッセージの内容に、ベッドの上で飛び上がった。

『タカト、いきなりだけど明日って空いてる？　遊びに行かない？』

すぐには信じられなくて送り主の名前を何度も確かめたが、『春美』でまちがいない。

「ま、ま、マジか！　え、マジか！」

隆人と春美は同じ保育園でよく遊んだ幼なじみだったのだが、隆人が小学校低学年の時に隣県のこの町に引っ越してきてからは、ずっと直接顔を合わせることがなかった。

隆人にとって春美は初恋の相手であり、それを今も引きずっていた。

引っ越したあともあきらめきれず、たまに電話や手紙で連絡してつながりを保ってきた。そして、おたがいにスマホを持ってからはたまにチャットアプリで連絡を取り合うようになった。けれども連絡はいつも隆人のほうからだった。

その涙ぐましい努力が、とうとう実るかもしれないのだ。その喜びたるや尋常ではなかった。

「やった！　やった！　春美に会える！　じゅ、じゅ、……十年ぶりかぁ〜！」

隆人はなんでもないぜというふうにカッコつけて、『いいけど』とだけ送った。

もちろん心臓はバックンバックンバックン暴れている。

ほんの一分ほど返事がなかったらもう不安になって、「もう少し何か返そう」と文章を入力していたら、ピコンと着信音がして「ギャッ！」とスマホを落としそうになる。

『じゃあ○○駅前の××の二階に十時ね！』

指定されたのはたがいの家の中間くらいにある大きな駅のファストフード店だった。

『けっこう見た目が変わってるからまちがえないでね！』

と送られてきた写真は、どうやら友だちと遊園地に行った時のもののようだった。たしかに中学の時に送られてきた写真よりは少し大人っぽくなっていたが、隆人にはふたり写った女の子のうちの左側が春美だとすぐにわかった。

「あいつ髪伸ばしてるのか……。似合うなぁ……」

デレデレしながら写真を見つめ、どう返事しようか迷っていると、春美からあまりにも意外すぎるひとことで追撃された。

『イオリも行くからよろしく！』

「は……？」

隆人の興奮は、一気に氷点下にまで冷えてしまった。

イオリというのは、春美が赤ん坊のころから親同士の仲がよく、しょっちゅう会って遊んでいたという男の子だ。今も同じ状況が続いているなら、顔を合わせていない期間のある隆人とちがって春美とは正真正銘の幼なじみということになる。

「マジかよ……イオリかぁ～……」

ひどく複雑な心境で、隆人はスマホを枕元に放り投げ、ごろりと横になった。

その名前を見て、脳裏をよぎったのは、猫とヒーロー。それがイオリとの思い出だ。

あのころ、隆人と春美は小学校でも同じ学童クラブに通っていて、いつも一緒に遊んでいた。そこに必ず割りこんできた男の子が、別の学校から来ていたイオリだった。

イオリは、ひとことで言うとやんちゃ坊主だった。いつもTシャツと短パンをよごしていて、とにかく元気だった。

当時でも少し古かったテレビのヒーローものが大好きで、隆人が春美と砂遊びなどをしていると必ず乱入してきては、ヒーローごっこをせがむのだ。おまけに、「ヒーローはオレ！　ぜったいオレなの！」と頑として主役をゆずらないものだから、隆人はいつも怪人の役。春美の前で「ぐわぁ！　やられたぁ！」と無様に倒れる役だった。

一度どうしても我慢できなくなって、ヒーローごっこを断ったら、イオリはひどく悲しそうな顔をした。あとで春美から聞かされたのだが、イオリはもっと幼いころによく入院していて、その時に知った日曜朝のヒーローの姿に励まされて大きな手術をがんばったのだという。それ以来のあこがれなのだそうだ。

幼いながらも良心の呵責を感じた隆人は翌日、またヒーローごっこにつき合うと言った。その時のイオリのうれしそうな顔といったらなかった。

またイオリは、実際にヒーローのように正義感も強く、拾った捨て猫のもらい手を探して近所を駆けずりまわるような一面もあった。もらい手探しに協力させられた隆人はへとへとになったのを覚えている。

「イオリか……。あいつ今どうなってんのかなぁ……」

隆人は胸の奥がモヤモヤした。現在のイオリの姿を想像すると、自分にとって不都合しかなかったのだ。

当時から活発だったから、きっと今はスポーツマンだろう。ちょっと強引な性格も、女子にとっては魅力的かもしれない。おまけに捨て猫のもらい手を探すような優しさももっている。……モテないわけがない。ひょっとするともう春美はイオリとつき合っていて、すでに入りこむ余地はないのではないだろうか。

考えれば考えるほど、最悪の想像が更新されていく。

「ああ～！　会いたくねえなぁ～！　どうせまたオレが負けて、怪人みたいに『やられたぁ！』って言うことになるに決まってるもんなぁ……」

隆人は頭を抱えて叫び、ベッドの上を転がった。

今の自分が想像上のイオリに勝てるところなどないだろう。特別成績がいいわけでも、運動神経がいいわけでもない。おしゃれもよくわからないし、特技もない。一度クラスの女子に思いきって自分の評判を聞いてみたが、「いい人」と言われただけだった。

その時、ミィ、と鳴きながら、ドアのすきまから猫が入ってきた。そのまま隆人の上に乗ろうとするのを、抱きかかえる。

「ミル。おまえもこの家に来て、もうすぐ十年ってことか。イオリって覚えてるか？」

あの時イオリが拾った捨て猫は三匹いたのだが、二匹のもらい手は見つかっても最後の一匹のもらい手がどうしても見つからなかった。イオリの家はマンションで、春美は親が猫嫌いとかで、飼えなかった。それで隆人が親を説得して引き取ったのだ。

本当はハルミと名づけたかったが、はずかしくてミルと名づけた。

隆人は思い出していた。雨の中、三匹の子猫が入った段ボール箱を抱えて、「このまま猫が死んじゃうよぉ！　どうしよう！　うえええええん！」とイオリは泣きじゃくっていた。その姿を見て、もらい手探しに協力しようと思ったのだ。

最後の一匹を引き取るために必死に親を説得した隆人に、イオリはまた大泣きしながら抱きついてお礼を言っていた。

「タカちゃんはヒーローだぁ！　オレのヒーローだぁ！」

それを思い出しながら、隆人はミルに言った。

「……そうだよな。イオリって素直ないいやつなんだよな。そんなあいつにヒーローって言われて、オレすごくうれしかったんだ。ヒーローがいつまでもこんなウジウジしてちゃ……カッコつかないよな。……よし！」

明日、十年前の恋に決着をつける。そのつもり……だった。

翌日、約束のファストフード店で隆人を待っていたのは、たしかにあの写真の女の子だった。しかし左側の春美ではなく、右側にいたショートボブの女の子のほうだ。

「久しぶり、タカちゃん。わたしだよ。伊織だよ」

開口一番、頬を染めたその子の言葉に、隆人の思考は混乱を極めた。

「あの……変わっててびっくりした？　あのころのわたし、好きなヒーローに影響されて自分のこと『オレ』って言ってたから、男の子みたいだったもんね」

「は？　え？　は……？」

「今日、春美は来ないよ。わたしがどうしてもタカちゃんに会いたくて、待ち合わせに協力してもらったんだ。あのね……十年前の恋の決着をつけたくて」

すっかりかわいらしくなったその顔に、うっすらとあのころの面影がある。

どうしてこんなに胸がドキドキするのかわからない隆人は、「やられたぁ……」とつぶやいて頭を抱えたのだった。

episode - 06

二年前の後悔、二年後の告白

「奏汰くん、後輩に告白されたみたいだよ」

そう友人の美咲から言われたのは、教室の隅でお弁当を食べている時だった。口に運んでいた唐揚げを落としそうになってあわてて箸に力を入れる。

「……へえ、そうなんだ」

「紗衣、いいの？」

平然としたフリをして答えて、唐揚げをひと口で頬張った。私の反応に美咲は怒ったような、困ったような顔をして茶色に染めた毛先を揺らす。

「いいも何も、つき合ってるわけじゃないし」

告白。その言葉がずしっと胸に響く。わかってる。私は別に奏汰の彼女じゃない。奏汰がだれを好きになろうが好きになられようが、関係ない。

それでも、とひと口には大きすぎた唐揚げをお茶で流しこむ。視界の端に、ちらりと奏汰の顔が入った。反対側の隅っこで、友人らと一緒に惣菜パンを頬張っている。

小学校からの腐れ縁である奏汰とは、高二の今年、一年ぶりに同じクラスになった。けれどあの日からずっと、疎遠というか、なんというか。うまく話せず、ばったり出くわしてもギクシャクするばかり。

中学三年生だったあの日の、奏汰の顔を思い出す。

『紗衣と奏汰くん、つき合えばいいのに』

そう言い出したのは美咲だった。どんな流れだったのかは覚えていない。

悪気とか、からかう気とか、そういうのはなかったと思う。美咲は無邪気にそう言った。それに私は美咲に奏汰への気持ちを話したことはない。というか、自分でもよくわかっていなかったのだ。好きだとかどうだとか、考えたことがなかった。

だけど『なんだかんだでふたり、両想いでしょ』と美咲に言われた瞬間、トンッと胸を突かれた気がした。

そしてじわっと、あせる気持ちとはずかしさが同時に押し寄せてきた。

『え、ないない。てか恋愛対象じゃないし』

即座に口をついて出たのは、そんな否定の言葉。

その時、私を見た奏汰のあの顔。一瞬見せた、悲しそうなハッとした顔。

『オレだって紗衣は対象外だし。もっとかわいくて優しい子がいい』

でもすぐにそんなふうに言われ、私もカチンときてしまった。

『私だって奏汰よりずっとイケメンで頼りになる人がタイプだし』

言ってしまったとたん後悔したが、遅かった。奏汰は『イケメンじゃなくて悪かったな』とその場を離れてしまった。

それ以来、まともに話せていない。

高校生になったのに、幼稚だってわかってる。それまでだったら、どんなにケンカしたって時間がたてばいつの間にかまた笑い合ってこれた。

でもあの日以来、奏汰は変わってしまった気がする。

そして私も。

『紗衣は対象外』その言葉が、ずっと胸の奥に突き刺さっていて、抜くことができないでいる。

本当は、また前みたいに話したいのに。たくさん笑いたいのに。

そんな気持ちを隠して、私は残りのおかずをおなかの底に詰めこんだ。


その日の放課後、私は教室で雨が止むのをひとり待っていた。帰宅途中に忘れ物に気がついて戻ったら勢いよく降り出してしまった。雷まで鳴っている。

「……紗衣?」

早く止まないかな、と湿気のこもった空気にうんざりしていると不意にドアに人影が見えた。名を呼ばれ、おどろいて視線を向けると、バスケ部のビブスをつけた奏汰が立っていた。

「奏汰……どうしたの？」

「別に……忘れ物」

その声も顔も素っ気なかった。それ以上何も言わず、音を立ててロッカーからカバンを取り出し、そのまま出ていこうとする。

「そういや、告白されたらしいけど、つき合うの？」

その背中に、どうしてかそんな言葉を投げかけてしまった。

私の言葉にふり返った奏汰の眉が、ぎゅっと寄せられていた。「関係ないだろ」とでも言いたげなその顔を見て、胸がズキンと痛んだ。

ちがう、そうじゃない。そんなことが言いたいんじゃない。私、本当は――

その瞬間、教室の窓がビリビリと揺れるほどの雷が落ちた。轟音と真っ白な光に、思わず目をつぶってしまう。

「びっくりした……え？」

静かになってからゆっくりと目を開けると、そこは教室ではなかった。

いや、教室ではある。ただし今通う高校のそれではなく、中学校の、三年生の時の教室になっていた。

「紗衣と奏汰くん、つき合えばいいのに」

その言葉にどきっとして横を見ると、髪の黒い美咲がいた。どういうこと、とあたりを見まわすと「え」と、とまどう声がした。声の主を見る。

二年前の、まだ今ほど背も高くなく、顔も幾分か幼い奏汰が、そこにいた。

「なんだかんだでふたり、両想いでしょ」

続いた言葉にまさかと固まった。もしかして、あの日だろうか。

奏汰と言い合って、仲直りできなくなってしまった、あの日。

どういうこと？　夢……だろうか。さっきまで高校の教室にいたはずなのに。

わけがわからないまま、奏汰を見る。彼もまた、私を見ていた。

あの日、私は意地を張ってしまった。あんなこと、言うつもりなかった。本当はずっと後悔していた。なんで、なんで嘘をついちゃったんだろうって。

り返したくない。

……きっとこれは夢だ。目が覚めたら忘れてしまうような。でももう、同じことをく
「……えっと、ほら……先のことは、わかんない、よね」

勇気を振りしぼった言葉に、美咲はきゃあと喜んだ。それと同時に、ガタッと机にぶ
つかる音がする。

ぶつかったのは奏汰だった。しかもあんぐりと口を開けていたかと思えば、目をきょ
ろきょろさせて、逃げるように教室を出ていってしまう。

あの日とはちがう。いや、私がちがうことを言ったからだろうか。それにしたって。

何もわからないまま、それでも私は奏汰のあとを追いかけた。

「奏汰！」

その名を呼び、引き止める。奏汰の足は速く、すでに階段の踊り場にいた。

「なんで、ちがうこと言うんだよ」

立ち止まった奏汰の声は、消えてしまいそうなほどか細かった。

ちがうこと。どうして奏汰がそんなことを言うのだろう。奏汰を見ると、大きなため息をついて「わかってるよ、オレだって後悔してんだよ」としゃがみこんでしまった。

その言葉に、もしかして、もしかして、と思い当たる。

「ねえ、もしかして奏汰も……私と同じで、本当は高校生だったりする？」

どう言ったら伝わるのだろう、そう思いながらもストレートに問いかけると、奏汰はがばっと顔を上げた。目をぱちぱちとさせている。

「え、夢だろ、これ」

「夢、だと私も思うんだけど……わかんない」

私が首をかしげると、奏汰はどういうことだよ、とまた頭を抱えてしまった。

「悪かった」

小さな声で、奏汰が言った。それから頭を上げて、私を見る。そこにいるのはまちがいなく中学校の制服を着た十五歳の奏汰だ。そして私も、同じく十五歳の私だ。

ゆっくり立ち上がる奏汰と同じ高さで視線がぶつかる。なつかしい感覚に、胸がぎゅうっと詰まった。

「あんなこと言うつもりはなかった。ずっと、後悔してた」

今より短かった髪の毛をぐしゃぐしゃにかきむしっている。照れ隠しのように、きっと夢だからどうせ忘れるだろうし、と続けた。

「オレ……おまえのこと、好きだから……あの時、恋愛対象外だって言われて、つい」

予想外の言葉だった。うそ、と言いそうになってあわてて飲みこむ。そんなこと言ったら、あの日の二の舞いだ。それだけは……いやだ。

「私こそ、ごめん……私も、奏汰のこと、好きだよ」

息を吸って伝える。ずっと、言いたかった言葉。

奏汰がはにかんでくれる。私も照れ隠しのように笑う。ようやく、言えた。あの日は言えなかったけれど、あの日があったからこそ、伝えなきゃって思えた。

そう気づいた瞬間、また雷の大きな音が鳴り響き、あたり一面が真っ白に光った。反射的に目をつぶり、身を縮めてしまう。

数秒後、目を開けるとそこは高校の教室だった。雨で足止めを食らった私と、部活途中で忘れ物を取りにきた奏汰だけがそこにいる。

夢を、見ていたのだろうか。あまりにもリアルで、本当に中学の教室に戻ったみたいだった。奏汰も、あの時のままで。

ふと、奏汰の視線を感じて私も彼を見る。

「……何？」

夢の内容を思い出してしまい、思わず声がうわずってしまう。

「いや……なんか一瞬、夢見てた」

呆然とした奏汰が言う。私のほうを見て、それから困惑した様子を見せる。

「え、私も、夢見てた。中学の」

私がそう返すと、奏汰はぎょっとした顔をした。

「え、紗衣も？　中学の？　まさかあん時の……」

そこまで言って、ふたりして固まってしまった。

まさか同じ夢を見るだなんて、そんなことがあるわけがない。しかも今の一瞬で、同じタイミングでだ。そんなの、奇跡でしかない。

「紗衣、オレのこと好きって……」

「奏汰も、私のこと……」

わけがわからない。でも、胸はどきどきしているのに、悪くなかった。

奏汰の顔が耳まで赤くなっていく。私も、顔が熱くてしかたがない。

「す……好きで悪いかよ」

精一杯、強がった声だった。なつかしい。昔よく聞いた奏汰の声だ。

「悪くない、んじゃない……う、うれしいし」

私も、がんばって素直にこたえる。もう二度と、後悔しないように。

奏汰がようやく笑ってくれた。私も笑う。いつの間にか雨は止んでいた。

ここまで二年もかかってしまったけれど、きっともう、大丈夫。

窓の向こうには、虹がかかっていた。

♥ episode - 07

恋と紅茶と0・2秒

日本を発つ日まで、あと一か月か。

毎日続けている英語学習アプリを閉じ、軽く伸びをする。大学二年生の僕は、ずっと行ってみたかったイギリスへの留学が決まっていた。最近はそのための準備や勉強に追われながら、家族や友だち、そして彼女のミチとの時間を、大切に過ごしている。

でも実は最近、ミチの様子が、ちょっと変なのだ。

パーカーのポケットに忍ばせた小さな包みを手でもてあそびながら、大学の掲示板を眺める。しばらくすると、パタパタと足音が近づいてきた。

「優、ごめんね。待った?」

「ううん、全然」

「本当に？　そもそも、今日だって忙しかったんじゃないの？　無理してわたしとの時間をつくらなくても大丈夫だからね」

ミチは常に相手を気遣う人だ。僕の留学が決まってからは、準備のじゃまをしたくないからと、デートや電話の回数を減らされてしまった。僕としてはさびしいのだけど、かっこ悪いからそんなことは言えない。

「無理なんてしてないよ、僕がミチに会いたいんだし。じゃ、いつもの店に行こう」

僕とミチは大学の近くにある行きつけのカフェに入った。

「僕はダージリンをホットで」

紅茶党の僕は、いつものように紅茶をオーダーした。ここのカフェは紅茶もコーヒーも種類が豊富で、僕たちのお気に入りの店だ。

「わたしも同じものをください」

「あれ、ミチは今日も紅茶？」

僕とちがい、ミチは大のコーヒー好きだ。お店のメニューにコーヒーがあれば必ず頼むし、大学でも常にコーヒーの入ったタンブラーを持ち歩くほどの愛飲家なのだ。でも最近のミチはなぜか、どこのお店に行っても紅茶ばかりオーダーするようになった。

単なる偶然？　ちょっとした気まぐれ？　それとも何か、別の理由があるのだろうか。

ミチの変化が気になって、僕は尋ねた。

「最近、ミチはコーヒーじゃなくて紅茶をよく飲んでるよね。どうして？」

「うん？　紅茶が飲みたいからだよ」

「でもミチって、紅茶の味はそんなに好きじゃないよね？　香りは大好きって前に言ってたけど。あ、もしかしてコーヒーのカフェインを気にして、紅茶に切り替えてる？」

「ううん、そういうわけじゃないんだけど……そんなことよりも、留学準備はしっかりやってる？　直前であわてたりしないでよね。あ、ほら、紅茶来たよ」

ミチは運ばれてきたティーポットに手を伸ばし、カップに紅茶を注いだ。ふわりと茶葉のフルーティーな香りがただよい、何かをごまかすようにひと口飲む。その表情は、硬い。

あまり聞かれたくない話題だったみたいだ。でも、いったいなぜ？

僕は落ち着かなくなって、パーカーのポケットにそっと手を入れた。留学前にミチに渡そうと思っていた、プレゼントの包みが指先に触れる。

結局、それを渡すタイミングがつかめないまま、僕とミチはその店をあとにした。


ミチはなぜ、好きでもない紅茶ばかり飲むようになったのだろう。

僕の好きなものを、ミチも好きになろうとしてくれているのだろうか。それとも、一足先にイギリス気分を僕と一緒に味わおうとしているのだろうか。イギリスは紅茶で有名な国だから。

でも、ミチは別に紅茶好きではないのだし、どんな理由であれ、無理はしてほしくない。本当に好きな飲みものを、おいしく飲んで笑ってほしい。

そこで僕は、次のカフェデートで、紅茶ではなくコーヒーを頼んでみた。そうすれば、ミチも僕と一緒にコーヒーを飲むかもしれないと思ったのだ。

でもミチは紅茶を頼んだ。今日はコーヒーにしたら？　とすすめても、

「わたしはぜったいに紅茶がいいの」

と、頑として聞かなかった。

さらに、ミチは大学でも紅茶を飲むようになった。教室で、僕の隣に座っていたミチがタンブラーのふたを開けた時、ふっと紅茶の香りが鼻をかすめたのだ。

「ミチ、本当に最近どうしたの？　そんなに紅茶ばっかり飲んで」

そう尋ねると、ミチは不思議なことを口にした。

「いいの、飲まなきゃいけないから飲んでるの」

「え？　飲まなきゃいけないって、どういうこと？」

「もうっ、優はそんなこと気にするヒマがあったら、英単語をひとつでも多く覚えなよね。あー、ほんといい香り！」

ミチは強引に話をそらすと、タンブラーに口をつけ、ぐっと中身を飲んだ。顔をしかめて、まるで紅茶ではなく苦い薬でも飲んでいるかのようだ。

「おいしく感じないのに、無理して飲むのはやめなよ」

「そんなことないよ。おいしいし、何も無理なんてしてないってば。心配しないで」

そう言われても。僕はミチのことがさらに心配になったけれど、ミチははぐらかすように笑うばかりだった。そして義務のように、ごくごくと紅茶を飲み続けた。

カフェでも、公園でも、大学でも。僕のいるあらゆる先々で。


イギリスへの出発を数日後に控えたある日、僕とミチはいつものカフェで再びデートをした。

あと少しで、僕たちはしばらく離ればなれになる。

窓際の席に向かい合って座り、店員さんを呼んで飲みものをオーダーする。僕はホットの紅茶を。そしてミチも同じものを。店員さんが下がると、おたがい妙に意識してしまって、そわそわした。まるでつき合いたてのころのようだ。話したいこと、伝えたいことが胸にあふれているのに、どこからすくい上げていいのかわからない。

先に口を開いたのは、ミチだった。

「優、留学の準備はどう？　もう完璧？」

「完璧かどうかはわからないけど、大丈夫。やれるだけのことはやったかな」

「そっか。じゃああとは向こうでがんばるだけだね。楽しみだね」

「うん」

「優、あのね……」

ミチは何か言いかけ、それを押しとどめるように口を閉じる。そこへちょうどティーポットが運ばれてきた。ミチが中身を注ぐと豊かな香りが広がって、くっきりと澄んだオレンジ色の液体がカップに満ちる。

「ミチ？」

「ううん、やっぱりなんでもないの」

ミチは笑って、紅茶をひと口飲んだ。目は細くなり、眉間にぎゅっとしわが寄って、まるで泣くのを我慢しているように見える。

僕はたまらず、カップを持つミチの手に触れた。

「ミチ、本当にどうしたんだ。それに、紅茶も飲みすぎると体によくないよ」

「優の前でしか飲んでないから大丈夫だよ」

僕の前でしか紅茶を飲まない？　それはいったいどういうことなのだ。さらに混乱した僕は、ミチの前で両手を合わせた。

「最近のミチは変だよ。何か不安や不満があるなら、僕にちゃんと聞かせてほしい。そうじゃないと僕は安心して日本を出発できないよ。だから頼む、この通り！」

懇願する僕を見て、ミチはしばらく考えこんでいたけれど、やがて蚊の鳴くような声で、「ぜったいに笑わない？」と聞いた。もちろんだと僕がうなずくと、ミチはようやく観念したように打ち明けた。

「イギリスに行っても、優にしょっちゅうわたしを思い出してほしかったの」と。

「優は、プルースト効果って知ってる？　わたしは本で知ったんだけど」

プルースト効果？　一瞬おどろいたけれど、僕はすぐに思い当たった。

「うん、知ってるよ。特定のにおいをかいだ時、そのにおいと結びついている過去の記憶や感情が、自然によみがえる現象……だよね？」

「そう。優は紅茶が好きだから、きっとイギリスでも毎日何度も飲むでしょう？　そのたびにわたしのことを、ちらっとでも思い出してくれたらいいなと思って、優の前でたくさん紅茶を飲んでたの。優の中で、紅茶とわたしの記憶が結びつくように」

顔を真っ赤にしてミチが言う。そんな遠まわりをせず、「わたしを忘れないで」「イギリスに行っても思い出して」と僕に言ってくれていいのに。だけどそれを口にしなかったのも、僕の負担になるまいとする、ミチの気遣いなのだろう。

「留学前の大事な時なのに、優に余計な心配かけちゃって、ごめんなさい」

「全然、謝る必要はないよ。それに実は、僕もミチと同じだったんだ」

「え？」

「プルースト効果をねらっていた、ってこと」

僕はミチに渡しそびれていたプレゼントを差し出した。

「中、見てくれる？」

ミチはリボンをほどいて包みを開ける。中から出てきたのは、紅茶の香りのリップクリームだ。ミチは目を丸くして、それから顔をくしゃくしゃにして泣き笑いした。

「これで優もわたしも、おたがいのことを忘れないね」

「うん、きっと」

リップクリームを握るミチの手に自分の手を重ねて、紅茶の香りを胸いっぱいに吸いこむ。そして僕は、これからの僕たちを思った。

香りが脳に届くまでの時間は、０・２秒だという。今から一週間後、一か月後、一年後。たとえ十年、二十年先でも、僕とミチは紅茶の香りをかぐたびに、０・２秒でおたがいの存在を、何度だって思い出すのだろう、と。

♥episode - 08

23時、運命にサヨナラ

「う〜ん。中吉かあ。なんか普通だなあ」

わたし、浦部美琴は占いが好きだ。朝の占いはいつもチェックするし、初めてスマホを買ってもらった時、最初にインストールしたのも占いアプリだ。

もともと少し優柔不断なところがあって、たまたま占いの結果に従って決めたことがうまくいってからは、どんどんハマっていった。おまじないや不思議なものが好きな性格も関係しているかもしれない。

そんなわけで、今年の初詣の時にもおみくじを引いたのだ。

「なになに……『旅先で恋が叶う。23時が吉』か……。旅行なんて行かないし、23時って夜中だよね？　寝てるなあ」

これは書いてあることを守りようがない、とあきらめた。

そんなことがあったのを思い出したのは、修学旅行の前日だった。


「浦部さん、明日から修学旅行だね。同じ班だし、よろしく」

そう声をかけてくれたのは、同じクラスの橘くん。中学二年にしてはどこか落ち着いた「お兄ちゃん的な性格」の男子。一年生の一学期にくじ引きで学級委員を一緒に務めてから、何かと声をかけてくれる。ちなみに、今回の班もくじ引きで決まった。

その日の朝の占いで『残り物には福がある』って言ってたからあえて最後にくじを引きにいった。それがよかったみたい。

わたしが恋の占いを見る時にいつも思い浮かべる相手が、この橘くんなのだ。

急に話しかけられた照れ隠しに、わたしは自分の机で頬杖をついて言った。

「でもうちの修学旅行って、ほとんど班の自由行動ってないしさ。決められたコースをまわるだけだからイマイチだよね。行くのもお寺とかだし」

するとたちばなくんは、わたしの好きな笑顔になった。

「そうかな。僕はお寺とか、いいと思うけどな。落ち着くし、ご利益とかありそうだし。あ、それは神社か」

わたしは、ふと気になって聞いてみた。

「ご利益かぁ……。ねえ、橘くんってそういうの信じる？」

「そういうの？　神さまとか仏さまとか？」

「っていうか、占いとか」

「占いは、あんまり信じてないかな。先のことは占いに従うより自分で決めたほうが後悔しないからね。ここだ、と思ったところで迷わず決断して面を打ちこむ、みたいなさ」

「そっかぁ……」

剣道部ならではなたとえを言う橘くんに、わたしはうす笑いでごまかした。「でもいい結果が出た時だけは信じるようにしてるよ」なんて大人っぽいフォローをするところが、いかにも彼らしい。

「どっちにしろ部活ばっかりで旅行なんてふだんは行かないから、僕は楽しみだよ」

「そうだね。わたしも」

そう返した時にようやく思い出したのだ。今年の初詣のおみくじのことを。

家に帰ってから、あらためてあのおみくじの結果を確認した。スマホのカメラで撮って画像を残しておいたのだ。

「旅先で恋が叶う、って修学旅行のことだったんだ！　23時が吉、ってことは、こっそり部屋を抜け出して、とか……できるかな。でも先生の監視が厳しそうだしなあ」

夜中にこっそり旅館で男子の部屋へ遊びに行けたら、23時に会えるかもしれない。うまい具合に他の男子はいなくて、橘くんとふたりきりだったら、告白されてしまう可能性だってある。

「ま、わたしに部屋を抜け出そうとする度胸なんてないのはわかってるけど……」

しかし想像して楽しむだけなら自由だ。

「ん〜！　よし！　こうなったらできることはなんでもしよう！」

明日の準備は万端だが、それだけではどうしても不安だ。わたしはスマホでよく当たるとレビューされていた新しい占いのアプリをインストールして、運勢をチェックした。

「え！　『今週のラッキーカラーは黄色。青は×』って、うわぁ、青い服ばっかり持っていくところだった！」

もともと好きな色が青だったから着替えは青色ばかりバッグに詰めこんでいた。わたしはあわてて荷物をぜんぶ出し、少しでも黄色の入った服を詰め直した。

「『今日ゆっくりお風呂に入ると、明日いいことがあるかも』だって。よーし！」

荷物の詰め替えですっかり遅くなってしまったが、お湯を張って湯船につかった。

いつもより長い時間がんばっていると、何度も橘くんの言葉がよみがえってきた。

『自分で決めたほうが後悔しないからね』

決断して面を打ちこむ。その言葉通り、去年の剣道部の大会での橘くんはカッコよく相手に面を決めていたっけ。

「……」

なぜか胸のあたりがモヤモヤし、わたしはいつまでも湯船につかり続けた。

二時間後、わたしは暗い病院のロビーでぐったりと椅子に座っていた。

あまりにも長く湯船につかりすぎたせいですっかり湯あたりして倒れ、頭を打ったのだ。深夜になって救急病院に運ばれ、点滴を打たれてようやく帰れる。

「どうしてこんなバカなことしたの！」

叱るお母さんに、わたしは「……怖かったから」とつぶやいた。意味のわからないお母さんは首をかしげつつ、お会計のためにカウンターへ向かった。

「ジュース買ってくる……」

お母さんに告げて、ぼんやりと廊下を歩く。

明日からの修学旅行は、大事を取って休むことになった。不思議と、占いが外れた、とは思わなかった。自業自得のような気がしていた。言葉にしてようやくわかった。わたしは、自分で先のことを決めることが怖くなっていたのだ。

「何やってるんだろうな、わたし……」

するとその時、おどろくべきことが起こった。

廊下の角を曲がると、自動販売機の明かりに照らされて、橘くんが立っていたのだ。

その足にはギプスが巻かれ、松葉杖をついている。

「橘くん！　それ、どうしたの？」

「あれ、浦部さん？　転んで骨折しちゃってさ。修学旅行に行けなくなっちゃったよ。

浦部さんはどうしたの？」

苦笑する橘くんに、わたしも行けなくなったことを言ったら、「じゃあふたりで教室で自習か。僕ひとりだと思ってたから仲間がいてうれしいよ」

「あ……」

なんだ。結局旅先で恋が叶うなんてことは最初からなかったのか。そう思うと、なぜか重い荷物を下ろしたように肩が軽くなったような気がした。

「だったら、今だよね。こんな機会、もう二度とないだろうし」

自分で決めるのは、怖い。でも、占いより、大好きな橘くんの言ったことを信じるほうが、幸せな気持ちになりそうな気がする。

わたしはジュースを買って、面を打つのってこんな感じかな、と思いながら「隙あり」と言って橘くんの顔の前にそのペットボトルを差し出した。首をかしげる橘くんに「飲む？」と言ってから、わたしはすっきりとした気持ちで、こう続けた。

「あのさ、橘くん。こんな時に、変なこと言うけどさ、わたし橘くんのことが……」

あとで知ったが、実はその時23時くらいだったらしい。ちょっとだけ当たった、と喜んでしまうあたりわたしも調子がいい性格だなと思う。

でもまあ、これからもたまに占いを信じてみるくらいは、いいよね。

♥episode - 09

一秒ごとに君を

「ねえ彰人、ひとつお願いがあるんだけど」

放課後の図書室で、華は隣に座る彰人に小声で話しかけた。まるでパズルを解くように数学の問題集をすらすらと解いていた彰人が、なんだ？　と目で問う。

「あの、その、ええとね、なんて言ったらいいのか」

「うん？　言いたいことがあるならはっきり言ってくれ」

彰人にうながされ、華は勇気をふりしぼって口を開いた。

「……わたしに、告白、してほしいのっ」

秀才で大人びた彰人にあこがれ、華のほうから告白をして交際がはじまり、早半年。彰人の彼女になれてうれしい気持ちは変わらないけれど、華はちょっと不安だった。彰人はいつだってクールで、華への愛情表現もほとんどしないし、好きだと言ってくれたことさえないのだ。

彼氏のいる友だちの甘い恋バナを聞くたびに、華はうらやましくてたまらなくなった。

わたしも、彰人に好きって言われたい。

わたしはちゃんと彰人の彼女なんだって、大事な存在なんだって、思わせてほしい。

でも、重たい彼女だと思われるのはぜったいにいやだ。怪訝そうな顔をする彰人に、華はわざとおどけた調子でねだった。

「わたしも一回くらい告白されてみたいんだよねー。できれば、『生まれ変わっても君が好き』みたいな熱い告白がいいかな、なーんて」

「なんだそんなことか。わかった、考えておく」

拍子抜けするほどあっさりと、彰人は華のお願いを受け入れた。

翌朝、華が登校すると、彰人が校門の近くに立っていた。

「あ、おはよう、彰人。どうしたのこんなところで」

「おはよう。好きだ」

華は度肝を抜かれた。

「はっ……え、ええええ?」

告白してほしいとは言った。でもまさか、こんなにいきなりくるとは。真顔の彰人にじっと見つめられて、ますます胸の音がうるさくなる。

「あ、ありがとう、彰人」

「どういたしまして。さあ、教室に行こう」

彰人はまるで何事もなかったかのように、すたすたと歩いていく。シチュエーションもムードも無視のうえ、特に熱い告白でもなかったけれど、好きな人に「好きだ」と言われるのは、やっぱりうれしい。

じわじわとこみ上げてくる喜びを、華は素直にかみしめた。

だが、彰人の『告白』は、その一回で終わりではなかった。

「次は生物室に移動だったよな。好きだ」

「好きだ。昼はどこで食べる？」

「小テストの結果はどうだった？　好きだ。もしわからなかったところがあるなら、教える」

その日、彰人はことあるごとに「好きだ」を会話に挟んできた。華も初めのうちは胸が高鳴ったけれど、何度もくり返されるうちに、うれしい気持ちよりも不安のほうがどんどん強くなっていった。

この状況は、何？　彰人はいったいどういうつもりなの？

「彰人、告白をねだったのはわたしだし、好きだって言ってくれるのはうれしいよ。すごくうれしいんだけど、あまりにひんぱんっていうか、脈絡がないっていうか……。もしかして、わたしのことからかってる？」

たまらず華が尋ねると、彰人は心外だと言いたげな顔をした。

「まさか」

「じゃあどうして、こんなに告白をくり返すの?」

「『生まれ変わっても君が好き』だということを伝えるためだ」

華はますます混乱したが、とりあえず彰人がふざけているのではなさそうだったので、それ以上聞くのはやめた。

その日の夜、華はベッドに入ってから、ふと気づいた。

彰人の言う「生まれ変わっても」は、「心を入れ替えた」という意味ではないだろうか。

今まで華に対してそっけなかったことを反省して、今回の告白をきっかけに、愛情表現豊かな彼氏として生まれ変わろうとしてくれているのかもしれない。

自分が期待していた告白とはだいぶちがうし、彰人は少しやりすぎのような気もするけれど、ひとまずはよしとしよう。はずかしいのも我慢しよう。

そう自分に言い聞かせて、華は眠りについた。

翌日以降も、彰人の『告白』は続いた。

不意打ちでくり出される「好きだ」の連発。もはや告白テロだ。ところかまわず言うので、ふたりのやりとりを偶然耳にした人は皆ぎょっとしていた。華の友だちにも聞かれて、

「華の彼氏、どうしちゃったの⁉　何かの罰ゲーム？　ほどほどにしときなよー」

と、冷やかすどころか心配されてしまう始末だ。

罰ゲームなんかじゃない。ふざけているわけでもない。彰人はただ、想いを伝えてくれているだけ……なのだけれど。

「華、どうした？　眉間にしわが寄ってるぞ」

彰人に指摘され、華は急いで「なんでもないよ」と笑顔をつくった。

「そうか、ならいいけど。好きだ」

「……うん、ありがと」

好きだと言われるたびに、胸にもやもやが募っていく。華はそれに気づかないフリをして数日を過ごした。

けれどある日の放課後、

「好きだ。そろそろ帰ろう」

と、廊下で彰人に言われた時、華はついに限界を迎えた。

「ちがう。ちがうちがうちがう、ちっがーう！」

華の叫びに、彰人は目を丸くした。その表情で、ああこの人はやっぱりわたしの気持ちをわかってないんだ、と改めて気づいてしまって、華はますますカッとなった。

「あのね。わたしは、『たとえ生まれ変わっても君が好き』って言えるくらいの強い気持ちをこめて、彰人に告白してほしかったの。ただ『好きだ』って言葉だけくり返されたって、全っ然うれしくない。むしろ空しいし、悲しいよっ」

「華、少し落ち着け」

「落ち着けるわけないでしょっ。だいたい、悪いのは彰人なんだからね」

「悪い？　俺が？」

「そうだよ。『好きだ』とか『一緒にいたい』とか、そういう恋人っぽいことを彰人はこれまで全然言ってくれなかったじゃない。わたし、本当はずっと不安だったんだから！」

ふたりの近くを通っていく生徒たちの、好奇の視線が刺さる。それでもここまで言ってしまったら、もう口を止められなかった。

「わたしはね、安心したかったの。彰人に告白してもらって、わたしばっかりが好きなわけじゃないんだって、ちゃんと両想いなんだって、実感したかったんだよ。……バカみたいかもしれないけど」

彼女としての余裕も自信もない、そんな自分がはずかしい。彰人が華の望み通りのことをしてくれないからといって腹を立てるなんて、子どもっぽいともわかっている。

でも……でも！

いたたまれずに走り去ろうとした華の手を、彰人がつかんだ。

「華、誤解があるみたいだ。少しだけ俺の話を聞いてくれ」

だれもいない教室で、華と彰人は向かい合った。

「俺の告白が伝わらなかったみたいだから、説明させてほしい。まずは質問。俺たち人間の体は、何からできている？」

「は？」

いきなり何を言い出すのだろう。無視して帰ろうかと思ったけれど、彰人にじっと見つめられて、華はしぶしぶ答えた。

「ええと……細胞？」

「ああ、そうだ。細胞だ」

彰人はうなずくと、話を続けた。

「人間の体は、一日で約一兆個もの細胞を入れ替えている。古い細胞は死んで、新しい細胞と交代しているんだ。つまり、自分の一部は確実に日々生まれ変わっている、と言える」

ぽかんとする華をちらりと見て、彰人は頬をかいた。

「つまり、だ。今この瞬間、一秒一秒の間にも、俺は生まれ変わっている。そして変わらずに華のことが好きだ。これは、『生まれ変わっても君が好き』だという事実にならないだろうか、ということを伝えているつもりだった」

「いや伝わらないよ！」

華はのけぞった。あんなに「好きだ」をくり返していたのは、そういう意図があってのことだったのか。いくらなんでも、わかりづらすぎるだろう。

変に理屈っぽい、でもどうしようもなく彰人らしい告白だ。

不安と怒りでこわばっていた心が、ゆっくりとほどけていく。ふふっ、と華の口から笑いがこぼれた。

「機嫌、直ったか？」

「まだだめ。彰人がもっとわかりやすく言ってくれないと、機嫌直さない」

笑いをにじませて言うと、彰人は何度も咳払いした。それから華に一歩近づき、まっすぐなまなざしを向ける。

「生まれ変わっても、いや、生まれ変わるごとに好きになる。一秒ごとに、華を好きになっていく。俺の細胞がそう言ってるんだ。……これが告白では、だめだろうか」

熱を含んだ声。赤くなった彰人の耳。彰人が初めて見せる、恋をする顔。

「だめじゃ、ない」

これ以上熱い告白なんて、この世界にはきっとない。

彰人の想いを受け止めた華は、ぎゅっと胸を押さえて答えた。

「……最高！」

♥ episode - 10

6時45分の通学電車

また今日も、彼がいた。

彼はどんなに空いていても、座席に座らず、車両の端に立っている。おそらく部活で使うものが入っているスポーツバッグがまわりの人のじゃまになってしまうからだろう。

朝の、まだどこか澄んでいる空気の中、通学や通勤の人たちのけだるげな風景に、ピンと背筋を伸ばして立っている彼の姿はひときわ凛として見えた。

彼の名前は、わからない。わたしはただ毎朝こっそりと、彼を見ているだけだから。

6時45分発の、通学電車の中で。


きっかけは、些細なことだった。

中学二年生になってすぐのころ、厳しい先生の宿題プリントを学校に忘れてしまって、朝早く行ってやればいいやといつもより30分早い電車に乗った。6時45分にホームへと滑りこんできた車両から、会社員らしい女性がひとり降りるのと入れ替わるようにわたしが乗りこむと、「あの！　すいません！」とはっきり響き渡るような声が通りすぎていった。

声の主は、同い年くらいに見える男の子で、さっき降りていった女性に向かってドアから身を乗り出すように手を差し出した。

「落としましたよ！」

それが何であったのかは見えなかった。

ありがとう、と聞こえた声をさえぎるようにドアが閉まりはじめ、彼は手を引っこめた。そして何ごともなかったかのように彼は自分の定位置らしき場所に戻った。時間にして5秒もなかっただろう。わたしのすぐ隣で行われた実にスマートなその親切は、いつまでも胸に残るくらいに鮮烈だった。

わたしはつい、彼をまじまじと見てしまった。背が高く、髪が短く、大きなスポーツバッグを持っている。制服は、近くにある別の中学のものだ。名前が書いてあるものは、見当たらない。

あまりに見すぎたためだろうか、彼が視線をこちらに向けた。わたしはあわてて目をそらす。

その日から、わたしの目覚まし時計は30分早い時刻にセットされたままになる。

学校でのわたしは、いわゆる真面目な生徒だと思う。かといって特に成績優秀というわけではなく、ただ単に、上手にルールを破るほど器用でもなく、反抗するほどエネルギーをもて余しているわけでもないというだけだ。不公平に感じることははっきり抗議するくらいのことはたまにあるが、かといって正義感が強いというわけではなく、他人が校則違反していても自分と無関係なら何も言わない。なんとなく自分に集団生活は向いていないような気がして、部活には入らなかった。

美空はちょっと冷めてるよね、とお母さんから言われたことはある。そうかもしれない、と自分でも思う。

だからおどろきなのだ。こんなわたしが、だれかのことを気にするなんて。それも、名前も知らない男の子のことを。

わたしはもしや、意外と他人の言動に興味があるのではないか。なんだか新しい自分になったようにも感じるし、もしかすると本来の自分を見つけたのかもしれないとも思えて、悪い気分ではなかった。

おまけに30分も早く学校に着いてもすることがないので、その日の予習をしたり本を読んだりするようになった。よく中だるみすると言われる二年生の時期にそんなことをしていたせいか、成績は思いのほか上がった。

わたしとしては、それで十分だった。これ以上の変化を望むつもりはなかった。ただ朝のこの時間を大切にして、それが続いてくれればよかった。そういうところが冷めていると言われるのだろうか。

幸いなことに、と言っていいのか、彼はいつもひとりで通学していて、いつも定位置にいた。

だからわたしもずっと変わらず、彼が見える定位置にいた。そういう日が続いた。


ある秋の日、そんなルーティンが崩れるときがついに訪れた。

いつものように電車に乗ると、彼はめずらしく座席に座っていたのだ。

見れば、おなじみのスポーツバッグがない。テスト前で部活が休みなのだろうか。それとも、実は彼は先輩で、もう部活を引退したとかそういう事情だろうか。もしそうなら、この風景も来年からはなくなってしまうのか。それはなんだか、悲しい。

だけど、それもしかたのないことなのだろう。来年のわたしはどうしているだろう。

そんなことを考えはじめたわたしにまるで用意されたかのように、彼の隣の座席は空いていた。車両の両端に向かい合う長い座席はほどほどに埋まっているが、彼の隣は幸運にもぽっかりと空席になっていたのだ。

わたしは、なんだか不思議な力に吸い寄せられるように、そこに腰かけた。

そこで彼が同じ学年だということがわかった。彼は膝の上でノートを広げていたのだ。

ちらりと目に入ったのは、わたしが先週授業で習った内容だった。どうやら同じ教科書を使っているようだ。そしてやはりテスト勉強をしているのだろう。

その時、ほんのかすかに彼が、「ん……?」という声を漏らしたのが聞こえた。

わたしにはすぐにわかった。ノートに書かれた内容にまちがいがあったのだ。

「あ、そこ答えちがうよ」

反射的に言葉が出ていた。その声が思ったよりもかすれていて、いつもより高い声になっていて、かわいい声をつくろうとしていると思われるのが嫌だったが、一度出てきた言葉は止まらなかった。

「時間の計算のところ。6時30分じゃなくて、6時45分だよ。この電車の時間と同じだから覚えてるんだ、わたし」

「え、あ……そっか……」

彼はあわてたように通学バッグから筆箱を取り出し、シャーペンで書き直していた。そのあわて方からとてもとまどっていることがわかり、わたしはしまったと思った。「急にゴメン」と謝ったわたしに、しばらくためらうような間を置いてから、彼が「あの」と口を開いた。

その時だった。途中の駅で乗ってきた見知らぬ男子が、彼とわたしを見つけるなり笑顔で話しかけてきたのだ。

「あれー？　なんだよおまえ、とうとう告白したのか？　並んで座っちゃってさ。ああ、オレこいつの友だちなんだけどさ、こいつのことよろしくね。なんかいつもより45分も前の電車に乗ってたら次の駅で乗ってきたきみに一目惚れしたらしくてさ、それ以来早起きするようなけなげなやつなんだよ。でもおかげで朝練やってバスケうまくなってんの。ウケるよねー。あ、オレ病院寄ってくからここで降りるわ。じゃーねー」

まくしたてるように言うだけ言ったその男子は、次の駅で降りていった。

ああ。いったいわたしのどこが冷めているというのだろう。

首に力が入るくらい、緊張している。心臓だけが大暴れし、体はピクリとも動かすことができない。

すぐ隣にいる彼に、顔を向けることもできない。

わたしはいったい、いつから……いつからこんなにも彼のことを好きになっていたんだろう。向かいの窓に映ったわたしの顔は、照れくさくて見ていられないくらい恋をしていた。

じっと押し黙るわたしの視界の端で、彼は手を震えさせながらノートに何かを書いた。

見せられたそこには小さく「好きです」と書かれていた。

翌日から、電車内で彼の隣がわたしの定位置になった。

♥episode - 11

100日後の結果発表

受験勉強はマラソンのようなものだ。学校で先生がそう言っていた。自分のペースを守り、ゴールまでバテずにコツコツ進み続けることが、とても大事なんだよ、と。

だとすれば、元陸上部で長距離種目を選択していた心春は、受験勉強が大得意なはずなのだが。

「あーっ、もう英文なんて見たくないっ」

心春はシャーペンを放り、自室の机に突っ伏した。高校入試がはじまるまであと約三か月。しっかりペースを上げていかなければならないのに、こうして息切ればかり起こしている。

「このままじゃわたし、ゴールまで走りきれないかも……」

深くため息をついた時、ピロン、とスマホが鳴ってメッセージの着信を知らせた。確認すると、陸上部でひとつ年下の後輩の、海里からだ。

海里は心春と同じく長距離種目を選択していて、ともに練習するうちに仲良くなった。心春が高校でも陸上を続けるかどうかで悩んでいた時、いちばん親身になって話を聞いてくれたのも海里だ。おかげで心春は陸上を続ける決心が固まり、第一志望の高校を決めることができた。そして心春が部活を引退した今でも、海里とは時々メッセージをやりとりしている。

『心春先輩、勉強お疲れさまです。机で居眠りとかしないでくださいね』

海里のぶっきらぼうな声が聞こえてきそうなメッセージだ。くすくす笑っていると、さらに新着メッセージが届いた。

『これから毎日一通だけメッセージを送ることにしましたんで。（今日だけ二通です）返信はいりません。　１００』

毎日一通？　それに、この１００という数字はなんだろう。メッセージを送って尋ねたけれど、海里からは『気にしないで勉強を続けてください』と、そっけない返事が来ただけだった。

「うーん……？」

よくわからないけれど、海里とのやりとりで少し気分転換になった。心春は大きく伸びをすると、再びシャーペンを握った。

その夜以降、毎日一度だけ、海里からメッセージが届くようになった。

『勉強する前に一分瞑想すると集中力アップするらしいですね。99』

『記憶は睡眠中に定着します。寝るの大事。98』

『気分転換に運動したくなったらつき合います。97』

メッセージが届くのはいつも夜の十時ごろだ。ピロン、と今夜もスマホが鳴る。

『ブドウ糖って脳のエネルギー源なんだそうです。食いましょう。96』

「んん、また数字が減った」

心春は首をかしげた。海里が送ってくるメッセージの最後には、どれも必ず数字が書いてあり、その数は100から毎日1ずつ減っている。海里に『これはなんのカウントダウンなの?』とこれまでに何度か尋ねたけれど、

『0になったらいいことが起こります』

『つか返信しないでいいですって。見てくれるだけで』

と、海里ははぐらかすばかりで、どうしても詳しくは教えてくれないのだ。

海里っていいやつだけど、時々何考えてるかわからないんだよなあ。でも、意味のないことはしないだろうし。

メッセージの最後の数字が『90』になったある夜、心春は飲みものを取りに台所へ向かった。ここ数日、海里からのメッセージが来たら十分だけ休憩している。そうすることで勉強にリズムが生まれ、気持ちにもメリハリがつくのがわかった。

冷蔵庫の扉を開けようとして、心春はふと手を止めた。そこに貼られたホワイトボードには『公立A高校入試まであと76日』と、母親の字で書いてある。

そういえば、海里のカウントダウンが0になる日は、いつなんだろう?

心春は自分の部屋に戻り、カレンダーで日数を数えた。今日は十二月七日。このままいけば、0になる日は——三月七日。

「……あ、そうか!」

三月七日は、心春の第一志望である公立A高校の合格発表の日だ。海里は心春がA高校をめざしているのを知っている。合格発表の日は、きっとインターネットで調べたのだろう。

『0になったらいいことが起こります』

ある日の海里からのメッセージに、そう書いてあった。カウントが0になる合格発表の日に、いいことが起こるとすれば、それはもう『合格』しかない。

今までのメッセージは、きっと海里なりのエールだ。

スマホの画面にそっと指で触れ、心春は「よしっ」と気合いを入れた。

カウントが0になったその日に、海里にいい報告をしたい。

新たに目標が生まれて、心春はいっそう勉強に励んだ。長距離を走ってゾーンに入った時のように集中力が高まっているのが、自分でもわかった。

海里からは、毎日欠かすことなくメッセージが届いた。

『陸上部の正月休み、おれは自主練します。心春先輩もファイトです。66』

『二月から心春先輩は自由登校ですね。家でも集中してくださいよ。35』

『心春先輩のラストスパートでのぶち抜き、受験でも見せてください。11』

まるで、海里が心春の隣で伴走してくれているようだ。勉強中、ふと不安や心細さに襲われることもあるけれど、そんな時は海里のメッセージを何度も読み返して、心春は自分を奮い立たせた。海里からのどの言葉も、心春にとってのお守りだった。

大丈夫。きっとこのまま走りきれる。本番だってがんばれる！

落ち着いて臨んだ入試は、はっきりと手ごたえを感じた。それでも結果が出るまでの間、心春はひどくそわそわしながら過ごした。

『明日はおれにとっても大事な結果発表の日です。1』
海里も心春の合格を願ってくれている。落ち着かない胸をなだめながら心春はベッドに入り、目をつぶった。

　そして迎えた、合格発表当日の朝。

『0』

　これ以上なくシンプルなメッセージに、海里の緊張が伝わってくる。心春はスマホを胸に抱きしめ、それから母親と一緒にパソコンに向かった。合格者発表の専用ウェブサイトに飛び、受験した高校名と自分の受験番号を入力し、震える指で「次へ」と書かれたボタンをクリックする。

　どうか、どうか、神様……！

　ぱっと画面が移り変わり、心春と母親は同時に声をあげた。

『合格』の二文字が、そこにかがやいていた。

心春は結果を伝えるべく、学校へ向かった。まずは職員室に行って担任の先生に合格を報告し、休み時間になるのを待ってから海里のクラスへ走る。教室は騒がしかったけれど、海里はすぐ心春に気づき、ふたりは中庭に移動した。

三月にしてはあたたかく、花壇に植えられた水仙は今にも花を開きそうだ。春の空気を肌で感じながら、小春は海里と向かい合った。

「海里、聞いて。わたし、A高校合格したよ！」

「やったじゃないですか。まあ、心春先輩の顔を見た時点で結果はわかってましたけど」

なんだ、言う前からバレちゃってたのか。心春が照れ笑いすると、海里もうれしそうに目を細めた。

「おめでとうございます。心春先輩、すごくがんばってたの知ってるんで、おれもうれしいです」

「わたしが最後までがんばれたのは、海里がずっと励まし続けてくれたからだよ。おかげで海里の言ってた通り、カウントが0になったらいいことが起こった。志望校合格っていう結果が出せたの。本当にありがとう」

１００日間、一日も欠かすことなく送られてきた海里のエール。それがどれだけ、心春を支えてくれたことだろう。

もう一度、心からお礼を伝えると、「いや、そんな大げさな」と、海里は居心地悪そうに身じろぎした。

「心春先輩ならぜったいに大丈夫だって信じてました。次は、おれの番です」

「え、海里の？」

「はい。昨日、メッセージを送りましたよね。『明日はおれにとっても大事な結果発表の日です』って」

そういえば、そんなことが書いてあった。でもそれは、心春の合格発表のことだとばかり思っていたけれど、ちがったのだろうか。

首をかしげる心春の前で、海里がすうっと深呼吸した。三秒間目を閉じ、そして開ける。これは長距離走でスタートラインに立った時の、海里のルーティンだ。

「カウント0になったら告白するって決めてました」

……え？

「好きです。おれを心春先輩の彼氏にしてください」

え、え、ええーっ⁉

心春は目をまん丸にしたまま固まった。びっくりしすぎて声が出ない。

でも、でも、答えなんてイエスに決まってる！

心春は大きくうなずいた。すると海里は、澄んだ空に手を突き上げて叫んだ。

「っしゃあ、おれも合格！」

♥episode - 12

一週間のおつき合い

中二になってすぐ、四月の初旬のこと。

放課後になり、陸上部の練習に行こうとする光留を昇降口で見かけ、衣緒はとっさに声をかけて想いをぶつけた。

「光留くんのことが好きです。つき合ってください！」

中一の時に同じクラスだった光留と、中二のクラス替えで別のクラスになった。それがあまりに悲しくてさびしくて、もう告白するしかないと思ったのだ。

「えっと……」

光留は、困ったような顔をして頬をかく。これは脈ナシだなと、返事をもらう前から衣緒はがっくりし、視界が涙で歪みかける。

しかし、光留の返事は、衣緒の予想とはちょっとちがった。

「おれ、好きとかつき合うとか、よくわかんなくて。どうしよう？」

光留がアドバイスを求めるように聞くので、衣緒は「それじゃあ」と提案した。

「ためしに、一週間だけつき合ってみるのはどうかな？」

そうして、衣緒と光留の、一週間だけのおためしのおつき合いがはじまった。
ふたりはメッセージアプリのＩＤを交換し、毎日のようにやりとりをした。
《へー、吹奏楽部ってそんな感じなんだ》
《陸上部は今度大会あるよ》
《衣緒もあのマンガが好きとか意外！》
光留は、メッセージでは衣緒のことを下の名前で呼んだ。彼はマメにメッセージを返してくれて、やりとりはいつも楽しかった。
一週間はあっという間で、おためしのおつき合いもおしまいとなるその日の放課後。

衣緒のクラスに光留が顔を出し、ちょいちょいと手招きした。

「あのさ、衣緒にお願いがあるんだけど」

学校で「衣緒」と呼んでもらえるのは初めてで、心臓がドキンと跳ねる。

「まだよくわかんないから、おためし、あと二週間延長してもいい？」


衣緒と光留のおつき合いは、こうして二週間延長された。

ふたりはしだいにメッセージのやりとりだけでなく、たまに電話でも話すようになった。光留とのおしゃべりは、メッセージ以上に楽しかった。

楽しい二週間はあっという間。明日で期限となるその日の晩、いつものようにスマホでおしゃべりをしていると、光留が切り出した。

『衣緒も好きって言ってたあのマンガ、今度、映画が公開になるじゃん？』

メッセージのやりとりをしはじめたころ、ふたりとも好きなのがわかり、話が盛り上がったマンガのことだった。

「映画の公開、来月だよね」

『そうそう、そうなんだよ。おれ、観にいくなら衣緒と一緒がいいと思ってさ』

「衣緒と一緒」という言葉に、頰がかぁっと熱くなる。

『だから、おためし期間、次は一か月でどう?』


それから一か月後、ふたりは一緒に映画を観に行った。

初めてのおでかけに、衣緒は気合いを入れておしゃれをした。光留はそんな衣緒を、「私服だと雰囲気ちがうね。かわいい」とほめてくれた。衣緒も精一杯「光留くんもかっこいい!」と伝えた。光留は、はにかむように笑った。

映画は、すごくおもしろかった。終わったあとは近くのファミレスに行き、あれがよかった、これがよかった、と何時間もおしゃべりをした。たくさん笑って、笑いすぎて頰が疲れてきたころ、光留がふと気がついたように言った。

「これって、デートなのかな」

午後五時をまわり、ふたりは帰宅することにした。駅に向かって歩きはじめたその時、不意に指先が触れて、どちらともなく手をつないだ。光留の手は、衣緒の手よりずっと大きくてあたたかい。つないだ手をギュッとされて、衣緒の心はじんとする。

「今日、すごく楽しかった」

光留は笑顔でそう言うと、衣緒に提案してきた。

「またデートしたいから、今度は三か月じゃダメかな？」

衣緒と光留はクラスがちがうけど、顔を合わせれば、学校でも自然とおしゃべりをするようになった。

ある時、ふたりが廊下で話をしていると、通りがかったクラスメイトに聞かれた。

「ふたりはつき合ってるの？」

衣緒は返事に困った。デートをしたし手もつないだけど、これは期間限定のおつき合いなのだ。

でも、光留は迷うことなく「うん」とうなずいた。おかげで、ふたりがつき合っているという噂は、あっという間に学校中に広まった。

その週末、ふたりは近所の海浜公園でデートをした。はだしになって砂浜を歩きながら、衣緒は光留に聞いてみる。

「わたし、彼女ってことでいいの？　つき合ってるのも、おためしなのに」

すると、光留はきょとんとした。

「どんな形でも、つき合ってるなら彼女じゃないの？」

そういうものなのかな。

おためしのおつき合いをはじめてから、もう五か月目。季節は夏も終わりかけの九月になっていて、足元の砂をさらう海水は少し冷たい。

衣緒がぼうっと足元を見ていると、光留が隣に立って顔をのぞきこんできた。

「みんなに知られるの、いやだった？」

光留の吐息が鼻先にかかる。「いやじゃないよ」と衣緒は答え、どちらともなく唇を寄せた。

初めてキスをしたその日の帰り、光留が言った。

「もっと一緒にいたいから、次は半年がいいな」

光留は、それからもおつき合いの期限を延長していった。

半年たって、ふたりは中三になった。

「一緒に受験勉強したいから、次は一年」

ふたりで受験勉強をがんばり、同じ高校を受験して無事に合格した。

「一緒に登校したいから、次は三年」

高校生になったふたりは、毎朝一緒に登校するようになった。ふたりの仲のよさはすぐに周囲に知れ渡り、学校の名物カップルと呼ばれるようになった。

高校を卒業したふたりは、別々の大学に進学した。

「うちに遊びに来てほしいから、次は四年」

東京でひとり暮らしをはじめた光留の部屋に、衣緒は何度も遊びに行った。

ふたりは変わらず仲良しで、大学卒業のその年、光留はまた期限を延長した。

「衣緒がいたら仕事もがんばれる気がするから、次は五年」

ふたりはそれぞれ別の企業に就職して、会社員になった。

仕事は忙しく、会える時間はぐっと減った。それでも五年の間は、衣緒も光留のことを想ってがんばれた。安心していられた。

そうして、ふたりが二十七歳になった年のことだった。

光留が「たまにはこういうデートもどうかと思って」と、都会のホテルの最上階にあるおしゃれなレストランに衣緒を誘った。

社会人になってスーツの似合う大人になった光留を、衣緒は改めてかっこいいなと思う。会社でもモテるんだろうなと。そして、ふたりの五年の期限がもうすぐ終わりであることにも気がついていた。

学生のころとは、すっかり生活も変わった。ふたりは変わらず仲良くやってはいたけど、もう大人だし、無邪気におためし期間を延長するような年でもない。

ドキドキしているうちに、シャンパンが運ばれてきた。そして、乾杯するのかと思ったその時、いつになく真面目な顔で光留が切り出した。

「次の期限なんだけど……もう、延長はなしにしたいんだ」

衣緒の心臓がギュッとなる。これまでずっと楽しかった一方で、光留が衣緒に「好き」と言ってくれたことは、実は一度もなかったのだ。

衣緒がショックで答えられずにいると、光留は言葉を続けた。

「期限、延ばしてばっかりでごめん。本当は、もうそんな必要なかったのに……」

話が見えず、目をまたたいている衣緒に、光留は優しい笑みを向ける。

「次は、無期限がいいんだ。これからも、衣緒とずっと一緒にいたい。衣緒が好きだ。結婚してください」

光留がパッと手を前に出す。それがプロポーズだと衣緒はようやく気がつき、泣き笑いしながらその手を取った。

episode - 13

君を推して三年、君に恋して十年

死ぬほど好きな人がいる。

いつだってさわやかで、笑顔がすてきで、頼もしい雰囲気があって。真面目で努力家だから日々のトレーニングは欠かさないらしく、筋肉質な二の腕や割れた腹筋もとにかくきれい。声は低く落ち着いていて、静かにていねいにしゃべるのもいい。

そしてなんていったって、歌もダンスも最高で最強にうまい。

アイドルグループｍｅｒｒｉｌｙのハヤテは、私にとって唯一無二の推しで、神だ。

だからはっきり言って、他の人に興味はないし、恋人も必要ない。中三で出会ってからこの三年、たとえ彼がアイドルでコンサート以外で会うことも叶わない人だとしても、何も不満はない。私はものすごく充実していて、幸せに過ごしている。

だというのに。

「瑠花ちゃーん、おっはよー！」

月曜日。校門について早々、厄介者が現れた。

「……おはようございます」

「今日もかわいいね。ね、今日こそお弁当一緒に食べない？」

そう言って彼はにこーっと笑う。その姿に、近くを歩いていた女子がきゃあと黄色い声をあげた。

宮地颯真。先月やってきたイケメン転校生。同学年だけどクラスはちがうし、私とは接点が何もない。

なのにどうしてか、つきまとわれている。

じとっとした目でにらみつけると、宮地颯真は「やだなあ」とはにかんだ。

「オレ、こんなに瑠花ちゃんのこと好きなのに。さみしいなー」

しかもそんなことを、常に言うのだ。

たしかに宮地颯真の顔は整っている。背も高く手足も長い。転校初日に学校中の話題になったし、女子の間でも大人気で行くところ行くところで歓声があがる。かわいいだの好きだの言われたら喜ぶ子もきっと多いだろう。

でも私はちがう。だって転校してきた次の日に突然目の前に現れて、

『野木瑠花ちゃんだよね？　オレ、宮地颯真。瑠花ちゃんのこと好きなんだけど、つき合おうよ！』

などと言い出したのだ。あいさつすらしていない、本当の初対面でだ。正直言って、気持ち悪い。どういう思考回路をしているのか、まったくわからない。

というかそれ以前に、何よりも。私はハヤテ一筋だ。

宮地颯真はハヤテとは対極にいる。うるさいしチャラいし、よく笑うけれどハヤテのようなさわやかさはない。微塵もない。スタイルはよくたって制服も着崩してるし、髪型も気取っている。しかも学校だって休みがちだ。真面目でどんなことにも一生懸命なハヤテとはまったくちがう。

友だちからは「あんなにイケメンなんだよ！　つき合えばいいじゃん」とか言われるけれど言語道断。ぜったいにあり得ない。

「じゃあ瑠花ちゃん、またあとでねー」

だから私は最初からずっと断っているというのに。

宮地颯真は私の態度にもおかまいなしに、ひらひらと手を振って自分の教室へと歩いていった。

水曜の放課後、私は図書室にいた。ハヤテの次に好きなものが本だ。

次に何を読もうかと探し、気になった本に手を伸ばそうとした時、にゅっと突然現れた長い手がいちばん上にあったそれをゆっくりと引き出した。

「これでしょ？」

宮地颯真だった。にこっと笑った彼が、その本を私に渡してくれる。

「……ありがと」

どうしてわかったのだろう、不思議に思いつつ礼を言うと、宮地颯真はうれしそうな顔をして「この本おもしろいよ」と言った。

「読んだことあるの？」

「うん、あるよ。主人公が強くて頭よくてかっこいいから、おすすめ」

意外だった。私の手にあるこの本は、海外の古い小説だ。

「こういう、ファンタジーが好きなの？」

私が質問すると彼はさらに笑顔になって答えてくれる。

「そだね、いちばん好きなのはファンタジーかな。だって魔法とかドラゴンとかわくわくするし、いつもとはちがう世界を味わえるでしょ？」

「わかる！　知らない世界を想像して体験できるのが楽しくって」

「うんうん。あとたまに怖かったりするのも、何気に好きなんだよね、オレ」

「息詰まる展開あるよね……でもそこからの大逆転がまたよくて」

そうそう、と宮地颯真が全力で同意してくれる。まさか読書の趣味が一緒だとは思わなかった。ついうれしくなって声が大きくなり、図書委員の生徒に「静かにしてください」と怒られてしまった。

ふたりですみませんと謝って、目を合わせて笑う。そのやわらかくて優しい顔に、ほんの少し、胸が高鳴る。

「ね、オレと本の趣味が一緒なんだし、つき合おうよ」

けれど宮地颯真はすぐにいつもの彼に戻ってしまった。私の頭と気持ちも、一瞬で切り替わってしまう。

「いや、私はハヤテ一筋なんで」

どこか冷めた気持ちで、つい本心を口走ってしまった。たとえ本好きで、趣味が同じでも、宮地颯真は宮地颯真だった。

はあ、とため息をついた私に宮地颯真は目をパチパチさせてから「へえ」と笑った。

ハヤテって、あのアイドルのでしょう、と。

「瑠花ちゃん、ハヤテが好きなんだ」

その意味ありげな顔に余計なことを言ってしまったなと後悔しつつ、じゃあと別れのあいさつを告げた。彼がおすすめだという本は、興味はあったけど借りるのはやめておいた。なんとなく、しゃくだった。

久しぶりに、本の話ができたのに。

歩きながらふと思う。そうだ、久しぶりだった。記憶がよみがえる。あれは小学生の時、今みたいに図書室で本の話をした子がいたっけ。でもあの子はそのあとすぐに転校してしまって……。

なつかしいな、と図書室を出て窓の外を見る。あの子は元気だろうか。まだ本が好きだろうか。

空の端が、オレンジ色に染まりはじめていた。

その日の夜、私はテレビの前に張りついていた。音楽番組でｍｅｒｒｉｌｙが新曲を披露する。ハヤテのグッズを握りしめ、彼のインタビューを食い入るように見ていた。

『僕は小さい時、喘息もちで。よく休むから友だちもいなかったですし、運動も苦手でしたし』

画面の中のハヤテが言う。相変わらずのご尊顔にうっとりするような低音ボイス。話題は子どもの時の思い出についてだけど、その情報はすでに雑誌のインタビューで読んでいた。でも何度だって聞ける。

『本だけが友だちっていうか。でもある日、隣のクラスの女の子が図書室で話しかけてくれて、本の話ですごく盛り上がったんです』

それは初耳だった。というかハヤテも本が好きだということも初めて知った。私も好きです！と画面に向けて心の中で叫んでしまう。

『その彼女が言ったんです。本ってすごいよね、どこにだって行けるし、たくさんの人に会える。楽しいことも悲しいことも、勇気がいることも、本の中でたくさん体験してるんだよ私たち、って。その言葉に、僕はすごく救われました』

おかげで人生まで変わりました、とハヤテが優しく微笑んだ。なんてすてきな出会いなんだろう、そして私が思っていることを彼に言ってくれてありがとう、とその少女に感謝してしまう。私も前に、そんなことを図書室であの男の子に……。

『でも僕、そのあとすぐに引っ越しちゃって。いつか彼女を見つけてお礼が言いたいです。彼女のおかげでここにいれるようなものですし』

はにかむその姿に、司会者やメンバーが盛り上がった。初恋の相手なんじゃと言われ、ハヤテはさわやかに『どうでしょうね』と笑う。

その顔を、私はまじまじと見ていた。そこにいるのは私の推しで死ぬほど好きなハヤテだ。まちがいない。

私が小学生の……そう、二年の時、図書室で話したあの子のはずがない。だってあの子は、私より背もとても小さくて、控えめに笑っていて……あの子の名前は……。

宮地くん。宮地……りょうま、いや、そうまくん？

思い出したその名に、頭の中も、体も固まった。どういうこと？　混乱しながら私は、新曲の『ずっと想ってる』を踊るハヤテの横顔を呆然と見つめていた。

それからずっと、私の頭の中はぐるぐるとしていた。

小二のときの図書室の子が、宮地颯真？　そしてよく似た話をハヤテがしている？

寝るに寝られず、早くに学校に行って宮地颯真を探したが、会えたのは放課後になってからだった。

「瑠花ちゃんのほうから会いに来てくれるなんて、うれしいなー」

宮地颯真は図書室にいた。昨日いたあの場所に立って、本を読んでいた。そこにいるのはいつも通りの軽くて軟派な宮地颯真だ。

記憶にある宮地くんとはちがう。もちろんハヤテとだって。でも……。

「もしかして、小学生の時、同じ学校だった……？」

意を決して言うと、宮地颯真はめちゃくちゃにうれしそうな笑顔を見せた。

「瑠花ちゃんって、強くて頭がよくて、真面目で優しいキャラが好きだったよね」

覚えてるよ、オレ。と宮地颯真が言う。その声は、いつもより少し低い。

「なんで最初にそう言ってくれなかったの」

「オレは一発でわかったよ。瑠花ちゃんも思い出してくれるかなーって」

「いや、だって全然ちがうし」

「うん、頑張って体鍛えたし。勉強もめっちゃした。強くてかっこよくて、真面目で優しくなりたかった」

いつの間にかそのしゃべり方ですら、静かでていねいになっている。

「バレるとめんどいから、学校ではキャラ演じてるんだけど」

その言葉に、私の頭の中で何かが弾けた。息が止まる。顔が熱くなる。いやうそだ。

そんなはずがない、だって彼はアイドルでこんなところにいるはずがない。

宮地颯真は、さわやかな笑顔で私を見つめた。そう、その顔は――

「あの時、僕を救ってくれてありがとう。僕のこと、推しなんだよね？　うれしいけど、僕はね、小二の時から、ずっと君のことが好きだったよ」

まぎれもなく、私が死ぬほど好きな、ハヤテだった。

♥episode - 14

15分後に好きと言おう

「わたしは、ずっと……あなたのことが……」

放課後の図書室、檜木もなみのささやき声が、静かな空気をかすかに揺らす。

夕暮れの色がつきはじめたやわらかい日差しが、窓の形に床を照らしていた。

「ずっと……初めて会った時から、わたしは……。ん……舞踏会で、初めて会った時から、わたしの心は躍っていて……。ううん、やっぱりやめよう。これじゃだめだ」

「そうかな？　オレはいいと思うけど」

突然の声に、もなみはガバッと顔を上げた。

「と、遠山先輩！　いつからいたんですか！」

「さっき来たんだよ。去年の担任の先生と廊下で長話しちゃってさ」

遠山優也は夕日の色のベールをくぐるように近づいてきて、もなみがあわてて落としたことに気づいていなかった消しゴムを拾ってから、正面の椅子に腰かけた。こうして向かい合うのがいつものポジションだ。

もなみは、図書室の奥まったところにあるテーブルで作業に集中していて、優也に気づかなかったのだ。

その作業とは、自作の小説を書くこと。小学生のころからの趣味が継続していて、中学二年になった今も執筆する時にはスマホではなくノートに手書きだ。このほうが授業中もこっそり書けるから、とは大きな声では言えないが。

所属する文芸部の中でも部活のあとまで居残って熱心に創作活動している生徒は、もなみと優也のふたりしかいなかった。

「どっちのセリフ？　王子？　姫？」

「あ、えっと、王子です。王子が、姫の身代わりで舞踏会に出ていた女性騎士に告白するシーン……です」

渡されるゴムを受け取りながら、もなみは自分の頬が赤くなっていないかが気になってしかたなかった。

「ちょ、ちょっとセリフが不自然かなって、気になっちゃって……」

「いいセリフだと思うよ。舞踏会で踊る、と胸が躍る、をかけてるんだろ？」

「そうなんです！　先輩のお墨つきなら、これでいこうかな」

もなみにとって放課後のこの時間は、大切だった。去年は三年生がもうひとり残っていて三人だったが、今年は優也とふたり。創作仲間というだけではない、ずっと片想いしている相手との、秘密めいた特別な時間だった。

「オレも少しだけ書いていこうかな。30分しかないけどね」

優也は持っていた大きなタブレットを立てかけて、キーボードを接続した。

「あとどれくらいですか？　完成しそうですか？」

「ギリギリかもなあ。檜木さんにも読んでもらいたいし、なんとか卒業までには、かな」

胸がチクリと痛んで、もなみはあいまいにうなずいた。二年生であるもなみとちがって、三年生である優也は、来月には卒業してしまうのだ。

そのことを考えると、もなみはさびしさとあせりで胸が苦しかった。

「う〜、寒い！　檜木さん、大丈夫？」

首をすくめる優也の左隣で、「なんとか」ともなみも縮こまる。

図書室は5時半に閉められてしまうため、ふたりはいつもこの時間に、並んで駅まで帰ることになる。司書の先生に追い立てられて帰り支度をし、なんだかんだと校舎玄関を出るころには5時45分。駅までの時間は歩いてちょうど15分で、駅前にある大きな時計が鐘の音のようなチャイムを鳴らすのを合図にするように、優也を改札へと見送るのだ。

図書室では他の生徒がいることも多いが、優也にもっとも近づくこの15分は本当にふたりきり。肩が触れそうな距離になると、相手の体温もうっすらと感じられる。いっそこのまま手をつないでしまえたら、と何度も思ったが、この時間が壊れてしまうかもしれない怖さから、もなみはいつも平静な顔を取り繕うことで精一杯だった。気づいてほしくて指を小さく動かしてみたり、よろけたフリをして距離を詰めてみたりするが、触れ合う寸前で勇気がしぼんでしまう。

いつもは右側にかけている通学バッグを、優也と並ぶ時だけ左手に持っていることを、きっと彼は気づいていない。

「先輩は、受験はもうしないんですよね？」

「ああ。推薦で決まってる西高に行くよ。檜木さんは進路もう決めた？」

「ええと……だいたいは……」

わたしも西高に、とは宣言できなかった。担任との面談ではギリギリのラインと言われたのだ。受験勉強を頑張るしかない。

優也がいなくなる一年間、小説を書くことも我慢し、ひとりぼっちで受験勉強……。そんな想像をすると、今からくじけそうになる。そんな自分の心の弱さが、もなみは嫌いだった。

あれは中学一年生のころ。

入学してすぐに文芸部を見学に行った。趣味で小説を書いている、とこっそり伝えると顧問の先生はとても喜んで、たまたま近くにいた同じように熱心に創作活動しているという先輩を紹介してくれた。それが優也だった。

創作仲間ができそうだと思ったのか、優也もまたとても喜び、歓迎してくれた。

正式に入部してしばらくは緊張してばかりいたもなみだったが、優也はそれを知ってかよく話しかけてくれた。

もなみはこれまでずっと、人よりも不器用で、そのくせひどく人見知りなせいでまわりに助けを求めることもできなくて、無言のままバタバタと大あわてして失敗する。そのくり返しだった。そんな自分に嫌気がさして、ひとりの世界に没頭できる趣味として小説を書きはじめたのだ。周囲には秘密にしていたが、それで十分に楽しかった。

ところが、だれに読ませるでもなく書いた下手くそなその作品を、優也はいつもにこにこと笑いながら読んで、ここがいいこれが好みだと、気はずかしくなるような感想をくれる。隠していたひとりきりの世界に、急に光が差したようだった。

ミステリ小説が好きだという優也。花粉症で目がかゆくなるから春だけコンタクトではなくメガネをかける優也。筆が進まないと少し不機嫌になる優也。いろいろな彼の姿を見ているうち、やがてもなみは気づいた。優也が一年先輩ということ以上に大人っぽくて、でもどこかかわいらしくて、名前の通りにとても優しいということに。

気づいた時にはもう、初めての恋になっていたのだ。

それまでは物語の中にしかないと思っていた恋というものに、ひどくとまどった。とまどって、とまどって、何度もチャンスをのがして、とうとうここまで来てしまったのだった。

いよいよ明日が卒業式という日になっても、もなみと優也の時間は変わっていなかった。

ほんの少しだけ日が長くなってきた三月。窓からの夕日に隠れるようにしてうつむくもなみは、ノートを広げたまま手を動かさずに、ずっと歯を食いしばっていた。

明日にはもうお別れだというのに、どうしても勇気が出ない自分が悔しくて、情けなくて、気を抜くと涙がこぼれてしまいそうだったからだ。目の前に座る優也に、そんな顔を見られるわけにはいかない。

「そこ、まだ悩んでるの？」

ハッと顔を上げると、優也が心配そうにこちらをのぞきこんでいた。いつまでもじっと固まっていたからだろう。

ページは、たしかにあれから迷って何度も書き直している告白のシーンだ。

「あ、えっと……はい。なんていうか、どうやって切り出しても、セリフがしっくりこなくて……。告白とか、わたし、よくわからないから……」

自分に言い訳しているようでまた泣きそうになったが、優也は腕組みをして真剣に考えてくれているようだった。

「ううん……じゃあさ、セリフじゃなくて、きっかけをつくってあげたらどうかな？」

「きっかけ……ですか？」

「うん。たとえば、いつも帰り際にカランコロ～ンって鳴る駅前の時計のチャイムがあるじゃない。ああいう感じの音をさ、お城の大鐘楼か何かで鳴らして、それをきっかけにして告白するとかは、どう？　鐘が鳴る、と胸が高鳴る、をかけるみたいな」

一生懸命に考えてアイデアをくれる優也を見ているだけでもうれしかったが、その言葉に、すべての胸のつかえがすっと取れたような気がした。

「それ、すごくいいです！　そのアイデア、使ってもいいですか？」

「もちろん」

「あ……でも、いいんですか？　先輩がいつか使おうとあたためてたアイデアじゃ……」

「いや、そういうんじゃないよ！　ええと、うん、遠慮しないで」

どこかあせったような優也の様子に、気持ちがはやっていたもなみは気づかなかった。

お礼を言って、さっそく書き直しに取りかかる。

しかし、気がはやっているのも、胸のつかえがとれたのも、どちらも小説のことだけではなかった。優也の言葉を聞いて、決心がついたのだ。

今日、駅前の時計のチャイムをきっかけに、告白しよう。そう決めた。

もなみは、王子から女性騎士へと告白するシーンを、女性騎士のほうから告白するように大急ぎで書き直した。

一心不乱に手を動かしていないと、心臓が口から飛び出してきそうだった。

15分後に好きと言おう。

そう決心して、いつものように優也と校舎玄関を出た。

緊張でまわりは見えず、様子がおかしかったのか、優也がちらちらとこちらを気にしていることはわかったが、余裕のないもなみはひとことも発することがなかった。

とうとう、駅前にたどり着いた時、もなみの目には優也しか映っていなかった。

カランと音が聞こえると、なんとふたりは同時に口を開いた。

「あの！　先輩！　わたしずっと――」

「なあ、檜木さん！　オレずっと――」

この時、もなみは夢にも思わなかった。

実は優也のあのアイデアは、小説ではなく自分が実行しようと考えていたものだったこと。

おたがいチャイムの音に負けないように大声を出したが、駅前の時計は今朝からそのチャイムが故障していてカランとひとつ鳴ったら音が止まってしまうこと。

翌日の卒業式の帰り道は、手をつないで歩くことになることを。

♥ episode - 15

365日前から、決まってる

「どうだった？」

約束通り現れた楓は明るい顔で真っ先にそう言った。

三月の河川敷には、もうすでに桜が咲いている。鮮やかな桜色と空色が彼の後ろに広がっていて、その笑顔をふち取るフレームみたいだった。

「合格しました」

ベンチに座って待っていた私は、胸を張った。今日は合格発表の日。楓も私も同じ高校を受験した。

「まじか！　やったな恵未！」

まるで自分のことのように喜んで、楓は私の隣に座った。彼がどうだったかは聞かなくても現れた瞬間に予想がついていた。だって、私と楓は家が隣同士で、生まれた時からの幼なじみだ。

いや、あんなにうれしそうな笑顔で現れたら、楓のことを知らない人だって、いいことがあったんだってわかるだろう。

「俺も合格した」

楓がそう言って、ピースサインをつくる。なんだか子どもっぽくて、笑ってしまう。

「なんだよ」

「いや、来月から高校生になるのになあ、って」

私の言葉に、楓が自分の手を見てから「いいだろ」とすねた顔を見せた。

「別に悪いとは言ってない」

「じゃあなんで笑うんだよ」

その問いには答えなかった。かわりにもう一度笑って「合格おめでとう」と伝える。

楓は照れくさそうに笑って、鼻の頭を指先でこすった。

「頑張ったな、俺ら」

それから軽く空を仰いで言う。

私もつられて空を見た。うすい雲がぽつりぽつりと浮かぶ空は、とても明るくてきれいだ。あたたかい春の日の午後、ようやくひと息つけた気がする。

「そうだね、頑張った」

相談なんてひとつもしなかったのに、私たちは同じ高校を希望した。なんだよまた一緒かよ、なんて楓は笑ったけれど、私は内心ちょっとうれしかった。でも私も楓も、その成績では努力しないと難しいだろう、と担任からは言われていた。

だからちょうど一年前、私たちはかけをした。河川敷の、このベンチで。

「なあ、かけ、覚えてる、よな?」

空を見たまま、とてもたどたどしく、楓が言った。

忘れるわけがない。あの日も今日みたいに、桜が咲いていてよく晴れていた。

『あのさ、かけ、しようぜ』

一年前の楓は、私とほぼ身長が変わらなかった。そのかわりサッカー部の練習に明け暮れていたのもあって、今よりもよく日に焼けていた。

『かけ？』

帰宅部だった私は楓に呼び出されて部屋着のままここに来て、思いのほか風が冷たくて後悔していたっけ。

『合格したら相手にひとつ質問できる。そしてそれにはぜったいに答えること』

練習帰りのせいか、かたむく太陽のせいか、楓の顔が少し赤かったのを覚えている。

『え、なんで？　聞きたいことがあるなら聞けばいいじゃん』

いきなりな話題に面食らってそう言ってしまった私に、楓は一瞬固まった。しかしすぐにあわてふためいて、まくしたてる。

『いや、ほら、聞きにくいことだってあんだろ』

『えー、楓にそんな思いやりあったっけ。ていうかそもそも、私は楓に聞きたいことがないんですけど』

『なっ、俺だって恵未に言ってないことぐらいあんだよ！』

『いや、それを聞きたいか聞きたくないかは私が決めることで』

『っ……そうか、恵未は合格できる気がしないんだな。かけに負けるからやなんだろ』

『はあ？　んなわけないでしょ。楓こそ不安だからそんなこと言い出したんでしょ』

『俺はぜったい合格するし』

『私だってぜーったい合格するし』

　そういがみ合って、のせられて、私はそのかけをのんだ。今思えばかけなのかどうかもわからない。ただの約束に近い。でも、一年前にここで誓った。合格したら相手にひとつだけ、どんな質問でもできること。聞かれたら、ぜったいに答えること。

　あれから一年。私も楓も、必死に頑張った。それはかけに勝ちたいからというよりも、相手に対する意地とかプライドだったかもしれない。でもあの時のいがみ合いのおかげで、やる気のエネルギーが満ちたと思う。

「ひとつだけ、なんでも聞いていいんでしょ」

横目で楓を見ながら答えると、彼は黙ったままうなずいた。

質問。聞きたいこと。

時々あの日のことを思い出しては、考えていた。何を聞いたらいいだろう。何が聞きたいだろう。考えて、考えて、出てくるのはいつも同じこと。

でもそれを聞いてしまったら、何かが変わってしまいそうで。

今度はしっかりと顔を向けて隣の楓を見た。私の視線に気づいたのか、楓もこちらを向く。一年前と変わったようで、変わらない、私の知っている楓がそこにいる。

本当は、聞いてみたい。でももし私の希望する答えが得られなかったら。そうなったら明日からどうすればいいだろう。同じ高校に進むのに、どんな顔をして行けばいいのだろう。

怖かった。世界が変わってしまいそうで。

「恵未から質問していいよ」

楓に言われて、胸がぎゅうっと苦しくなった。顔が熱くなる。

私のこと、どう思ってる?

その言葉が胸の奥から湧き上がってきて、喉まで出かかる。

「私のこ……入学後の、目標は?」

だけど出てきたのは、今聞く必要ないだろうっていう質問だった。自分の勇気のなさにがっかりしてため息が出そうになる。

楓はぽかんとした顔で私を見ていた。でもすぐに吹き出すように笑う。

「そんなのいつだって聞けるだろ」

まさしくなことを言われて、私も愛想笑いのような表情を浮かべるしかなかった。

「目標か……そうだな、サッカー部のレギュラーを取る」

それでも律儀に楓は答えてくれた。その声の強さから、冗談も照れもなしで、本気なんだなとわかる。そんな楓を見て、ますます心がしぼんでゆく。

「じゃあ俺の番な」

そう言って楓は少しだけ言葉に詰まった、ように見えた。それでも私のほうをしっかり確認するように見て、頭をかいてから意を決めたように息を吐く。

「恵未の目標は？」

なのに私と同じ質問で、思わず彼を二度見してしまった。夕焼けはまだ遠いのに、楓の鼻が赤い。

「ほら、質問したぞ」

まるで照れ隠しのように、楓がそう加えた。そんな楓の頭に、桜の花びらがはらりと落ちてくる。

それはとてもきれいで、穏やかで。

私のしぼんだ心に、あたたかくてやわらかいものを広げていってくれる。

「そうだなあ。高校生活を満喫したい」

喜怒哀楽でいえば、喜よりも楽だろうか。そんな笑いがこみ上げてきて、全身の力が抜けていった。

これでいい。そう思える。私のことをどう思ってるかとか、私が楓をどう思ってるかとか。そんなことより、これから先もずっと、こんな日が続いてほしい。

私が笑うのを見て、楓はきょとんとしてからゆっくりと笑顔を見せてくれた。頭の上には二枚目、三枚目の桜の花びらが落ちてくる。

「いいなあ、高校生活を満喫か。あ、じゃあさ」

私の頭の上にも載っていたのか、不意に楓が手を伸ばしてきて花びらを取ってくれた。

「俺とは?」

え? と楓を見る。質問の意味がわからなかったけれど、耳まで赤くしたその顔を見て、私の心臓が大きく跳ねた。

楓の手から桜の花びらが飛んでいく。

「……えっと、質問は、ひとつだけでしょ」

うまく声が出なくって、うわずってしまう。心臓が耳の横にあるみたいにうるさい。

そんな私を見て、楓が笑った。一年前と、同じ笑顔で。

「質問じゃないから。俺とつき合ってほしい」

♥ episode - 16

年明けまであと10分

その年の大晦日の夜、おれは高校のクラスメイトたちと地元の大きな神社に行くことになった。年末にお参りすることを年末詣というそうで、年末詣と初詣をひと晩で済ませようというお得な計画だ。

夜の十一時に男子三人、女子三人の六人で集合して神社に向かうと、すでに多くの人でにぎわっていた。神社の境内は広く、夏祭りのように屋台も並んでいて明るい。寒いし億劫だと思っていたおれも、そのお祭りめいた空気に、たちまちテンションが上がっていく。

まずは年末詣をし、この一年間を無事に過ごせたお礼をした。それから、年越しまであたたかいものでも食べようと、みんなで屋台に向かうことになった。

近くにいた真紀に声をかけられ、おれは無料で甘酒を配っている列に並んだ。そうして白い湯気を立ちのぼらせる、熱い甘酒を無事にゲットできたのだけれど。

「迷子だ……」

他の友人たちの姿は人混みにまぎれて見当たらず、おまけに人が多いからか電波が悪くて電話もできず、送ったメッセージは既読にならない。

人の往来の激しい一角から離れ、境内の端のほうで真紀と顔を見合わせた。

「どうしよっか」

おれはスマホの時計を見た。年明けまであと10分。神社にやってくる人はますます増えていて、この中から友人たちを探すのは至難の業に思えた。

「年が明けたら、人混み、少しは落ち着くかもよ」

真紀の言葉に、「そうだな」と答え、おれたちは甘酒をすすった。

……気まずい。

今日のメンバー六人は、みな二年二組のクラスメイト。でも、おれは真紀とはそこまで親しくなかった。グループのみんながそうしているので下の名前で呼び合ってはいるが、個人的な会話は数えるほどしかしたことがない。おれは元来口下手で女子と話すのが得意でなく、一方の真紀は見るからに快活な性格。自分とはタイプがちがうなと、勝手に苦手に感じていた。

気まずい空気をどうしたものかと考え、おれはこんなことを口にした。

「真紀は、今年やり残したこととかある？」

「やり残したこと？」

「そう。今年も残り10分を切ったので、反省会でもしようかと」

完全なる苦しまぎれだったけど、真紀は「いいかも」と軽く笑った。おれのしょうもない発案を笑ってくれるなんて、いい子だなと思う。

「じゃあ、まずおれだけど。年末の大掃除、まだやってない」

「年を越したら、もう『年末』じゃないね」

「うち、家族で毎年年末に、家のどこをだれが掃除するかっていう分担を決めてるんだ。

今年のおれの担当は、網戸と窓とベランダ、あと玄関」

「へー、おもしろい。そういうの、なんかいいね」

「みんな面倒くさがって、冬休みの最終日とかにやるから、まったく年末にならないんだけどな」

さして身のない話だったけど、空気がほぐれたのでホッとする。

「真紀は？　何か、やり残したことある？」

「えっと……ふたつある」

真紀はもこもこした手袋をはめた左手でピースをする。

「一つ目は、拓海くんに、美化委員会のポスター貼るのを手伝ってもらったお礼、ちゃんと言えてなかったこと」

拓海くん、というのはまさかのおれのことだった。

記憶をたぐり寄せる。あれは――今年の夏前。真紀が美化委員会の仕事でポスターを貼っていて、高いところに手が届かず苦戦していたので手を貸したのだ。

「今さらだけど、あの時はありがとう」

「そんなの、全然いいのに。真紀って律儀なんだな」

照れたように、真紀はへへっと笑う。寒さで鼻の頭が赤くなっていて、なんだかかわいい。勝手に苦手意識をもっていたのが悪いような気がしてくる。「じゃあ、二つ目は？」

と先をうながした。

「えっと……」

なぜか真紀は言いよどんだが、待っていたら話してくれた。

「ある人に言いたいことがあるのに、ちゃんと言えなかった、というか」

「だれかとケンカしたとか、そういうこと？」

真紀はぶんぶんと首を横に振る。

「その……好きな人に告白できなかった、みたいな」

鼻だけでなく顔全体を赤くして、真紀は自分のほっぺたに手を当てた。そんな様子に、おれの心臓までドキンとしてしまう。浮いた話なんかこれっぽっちもないおれでも、他人の恋バナにドキドキすることはもちろんある。

「それ、相手だれ？」

「それは」

「って、そんなのおれに言えないよな。ごめんごめん」

すっかり赤くなった真紀は、見るからに落ち着きをなくしている。真紀も、こんなふうに照れたりするんだ。

明るい性格で律儀。真紀みたいな子に好かれるやつは、幸せなんだろうな。

「やり残したって思ってるなら、今伝えちゃえばいいじゃん」

「え、今⁉」

「電話……は、電波が悪そうだけど。メッセージ送るくらいはできるんじゃない？」

ほらほら、と急かすと、真紀はスマホを出した。ついでにおれもスマホを取り出すと、年越しまであと1分になっていた。

「なんて送ったらいいんだろう……」

周囲では、「あと30秒！」とカウントダウンの声があがる。

「やっぱり、メッセージはやめる！」

真紀がメッセージアプリで入力していた文字を消した。
20、19、18……。
「電話かけるの？」

「かけてみる。通じるか、わかんないけど」
10、9、8……。
周囲がカウントダウンの声で大合唱となる中、真紀がスマホの通話ボタンをタップする。なんだかおれまで緊張してきて、スマホを握った手に力がこもる。
3、2、1……。
「ハッピーニューイヤー！」

年が明けた。わーっと周囲が盛り上がった、その瞬間。

手の中のスマホが震えた。

画面に表示されているのは、真紀の名前。

目の前の真紀はスマホを耳に当て、真っ赤な顔でこちらを見ている。

やはり電波が不安定なのか、電話は着信履歴を残してすぐに切れてしまった。でも、真紀はスマホを耳に当てたまま、白い息を吐き出しながら言う。

「好きです。――なんて、新年になっちゃったけど」

くしゃりと笑った真紀に、おれの顔はじわじわと熱くなっていく。

本当におれ？　いつから？　おれと真紀は、タイプがちがうのに？

なんにもわからなくて、でも困惑と同じくらいうれしい気持ちもあって。

「おれ、なんていうか……真紀のこと、全然知らない、けど」

湯気が出そうなくらいに全身が熱くなっていくのを感じつつ、おれは頭を下げた。

「前向きに考える。だから、友だちからでもいい？」

そんなおれに、真紀はその顔を明るくして答えた。

「もちろん！　今年もよろしくお願いします」

♥ episode - 17

五月の雨と観覧車

「ねえねえ、さつき、来週の水曜ヒマ？　招待券あるから遊園地に行こうよー」

「ホントに？　もちろん！　行く行く！」

クラスメイトの西華から声をかけられて、わたしはすぐに賛成した。

西華とは中学二年から高校一年になった今まで同じクラスで気が合う友だち。来週の水曜は学校の創立記念日で休みなのだ。ただでさえ祝日の多い五月に自分たちだけさらに平日の休みがあるなんて、特別感があってうれしい。

すると、きゃあきゃあはしゃぐわたしたちに気づいたのか、西華の彼氏である東山くんが話しかけてきた。

「なになに、なんの話？　え、遊園地？　マジかよ、いいな～。オレも行きたい！」

西華と東山くんは去年からつき合っている仲良しカップルでわたしのあこがれ。ふたりを見て自分も彼氏が欲しいと何度思ったことか。

少し申しわけなさそうに「それでいい？」と尋ねてくる西華に「もちろん！　ていうか三人じゃわたしがじゃまじゃない？」と返した。もちろん「そんなことない」と笑顔を返される。そこに東山くんから提案された。もうひとり男子の友だちを誘ってもいいか、と。そんな東山くんが声をかけたのは、わたしの隣の席の田澤くん。

「つーわけで、田澤。おまえも行くだろ？」

「え、オレ？　遊園地？　あー……」

実は、東山くんが一緒に行きたいと言い出した時から、この流れになることを期待していた。「三人じゃ」と言ってちょっと誘導したところもある。東山くんが誘うなら、仲のいい田澤くんにちがいないと思ったからだ。

だれにも、それこそ西華にすらも言っていないけれど、わたしは田澤くんに片想いしている。

入学してすぐ、「隣、よろしくね」と気軽にあいさつした。田澤くんはちょっとおどろいたようにこっちを見てから、目をそらした。なれなれしすぎたかと思って謝ろうとしたら、彼は目をそらしたまま「よろしく」と返してきた。

どうしてなのかはわからないが、わたしはそれを『うわ～、かわいい！』と感じて、思いっきりハートを射抜かれてしまったのだ。少し低めの声が好みだったのもあるかもしれない。とにかく、一目惚れというやつだった。

そこからちょくちょく話しかけているのだが、これまであまりよい反応はなかった。何を言っても「そう」とか「うん」とか相槌くらいしか返ってこないのだ。そもそも田澤くんはクールというか塩対応というか、だれに対してもわりとそっけない。幼なじみだという東山くん曰く「いいやつなんだけど誤解されやすくて友だちいないんだよな」とのこと。

何度話しかけても脈なしな雰囲気に、わたしは『実らない！　この恋は確実に実らない！』と頭を抱え、フラれるのが怖くてこれ以上は接近できずにいるのだ。

今も田澤くんは、あきらかに困っている。とまどいの視線をちらりとわたしに向けたのは、きっとどうやって穏便に断ろうか考えているのだろう。

どんな理由を言われても、断られたら傷つく。それが嫌で、わたしのほうから「予定があるなら無理しないでね」と言ってしまった。言ったあとですぐに後悔した。

ところが、田澤くんは意外にも「オレでいいなら、行くよ」と言った。

わたしは、心の中で叫んで飛び上がった。


「さぁ～！　遊ぶぞぉ～！」

「なあ、あれ乗ろうぜ！　あれ！」

当日、遊園地で西華と東山くんは元気いっぱいだった。朝からあいにくの雨で傘をさしているが、おかまいなしで楽しんでいる。

そんなふたりの後ろに、自然とわたしと田澤くんが並んで歩く形になっていた。

「テンション高いね～、あのふたり。一緒にいるといつもあんな感じなんだよ」

「そう」

「わたしここ二年ぶりなんだ〜。田澤くんは遊園地とか、よく来る？」

「あんまり」

「あ、えっと、ここの観覧車ね、乗ってる時に告白すると恋が実るっていう噂があって、西華もそこで東山くんに告白されたんだって。すごいよね」

「……知ってる」

「そ、そっか。だよね〜、幼なじみだもんね。あはは……」

われながら必死だなあ、と思ってしまうくらい話しかけたが、田澤くんの反応はいつも通りだった。ひょっとしたらその観覧車に一緒に乗れるかも、なんてことをちょっとでも期待していた自分が情けない。もっと優しくしてよ〜、と心の中でなげく。

雨のせいだろうか。田澤くんの表情はいつも以上に固い。何か悩んでいるんじゃないかと思うくらいゆううつそうな顔をしている。

はじめのうちは、学校とはちがうシチュエーションにすてきな奇跡でも起きないかと期待していたけれど、だんだんと、そんなものはないんだと思い知らされてきた。田澤くんとはそれからもうまく会話が続かなかった。さらに強くなってくる雨が、わたしの気持ちと連動しているように思えた。

思えば、わたしはずるい。嫌な計算をして東山くんを歓迎して、フラれた時の保険ばかりかけて、田澤くんの優しい反応ばかり期待して……。

せっかくの休日なのにこんな雨の中に引っ張り出された田澤くんに申しわけない気持ちでいっぱいになって、だんだん胸が苦しくなってきた。

まさか本当に気持ちに連動しているのか、午後になってしばらくたつと、いよいよ雨が本降りになってきた。スマホで天気予報を確認すると、今日はこのまま晴れないらしい。やがて園内アナウンスで、今日のパレードが中止になったことと閉園時間を早めることが告げられた。西華と東山くんは残念そうだったが、わたしはどこかホッとした。

今日は早めに帰ろう、と提案すると、西華と東山くんは、最後に観覧車に乗りたい、と言い出した。思い出の観覧車だ。わたしは喜んで送り出した。

ふたりが乗ったゴンドラがどんどん上がっていくのを、乗らなかったわたしと田澤くんは下で並んで見上げていた。

傘に強い雨が当たってバタバタと音がする。まわりの景色もよく見えない。ものすごくひとりぼっちな気持ちになってきて、なんだか心細かった。

そんな雨の音にまぎれるように、隣から声が聞こえた。

「ごめん」

え？　と思って顔を向けると、田澤くんがうつむいたまま、まばたきもせずに足元の一点を見つめている。その言葉は、思ってもみないものだった。

「オレが口下手なせいで、日比野さん、楽しくないよな。せっかくの遊園地なのに、本当にゴメン。い……いつも……あ、んんっ」

咳払いをして、田澤くんは声をしぼり出すようにしている。

「いつも、感謝してる。オレなんかに話しかけてくれて。それなのにうまく返せなくて、申しわけないなって思ってる。そ、その……いつも……アリガト……」

最後は小声だったけど、じっと口の動きを見ていたからか、はっきりと聞こえた。

わたしは、とてもうれしい言葉を聞いているはずなのに、なぜか目の奥がどうしようもなく熱くなって、涙が流れた。田澤くんがそれに気づいてあわてている。

「え！　ど、どうして！　あ、えっと、その！」

「……嫌われてるって思ってた……」

「そ、そんなことない！　今日だって、オレの気持ちを知ってる東山が、日比野さんと一緒に出かけられるようにって自分の彼女を巻きこんでまでセッティングしてくれたんだ！　強引についてくるようなことになっちゃって今日ずっと申しわけなくて！　でもあいつはオレのためにやってくれたわけだから怒らないであげてほしいし、いつまでもろくに会話もできないオレが悪いわけで……。あ……」

ようやく勢いのまま自分が何を言ったかに気づいたらしい田澤くんの顔は、どんどん赤くなっていった。ひょっとすると田澤くんも、雨のおかげでまわりの景色が気にならなくなっていたのかもしれない。何かを振り切るように、言葉が続けられた。

「オレと……観覧車(かんらんしゃ)に乗ってくれない？」

わたしはもう涙(なみだ)も止まっていて、やっぱり田澤(たざわ)くんはかわいいなあ、と思いながら、高鳴る自分の心臓(しんぞう)の音を聞いていた。

さっきまではひとりぼっちな気持ちだったのに、今は田澤(たざわ)くんとふたりきりのような気がしてしまう。雨の音に負けないように、わたしもはっきりと言った。

「わたしも乗りたいって思ってた。田澤(たざわ)くんと」

ちなみに、肝心(かんじん)の観覧車(かんらんしゃ)の中では急にはずかしくなって、ふたりともずっと無言だった。だけど、それでもいい。

わたしたちの恋(こい)は、ようやくまわりはじめたのだから。

♥ episode - 18

100年後に恋をする

わたしの友人の夢乃は、ラピスラズリのように美しい青の万年筆を、制服の胸ポケットにいつも差している。

「どうして夢乃は万年筆をずっと持ち歩いているの？　学校では使わないのに」

つい気になって尋ねてみたら、夢乃はいたずらっぽく笑った。そしてあたりを見まわすと、青い万年筆にまつわる少し不思議な体験を、ひそやかに話しはじめた。

――今から半年くらい前だったかな。大学生のお姉ちゃんにつき合って、町外れにある小さな骨董店に行ったの。そのうす暗い店の中に入ると、奥のほうで何かがキラッと光ったんだ。なんだろう？　と思って近づいて、古びたショーケースの中をのぞいてみたら、この万年筆があった。まるで内側から発光しているみたいな青色で、きれいだなあって思わず見とれていたら、店主のおじいさんに声をかけられたの。

「こちらの万年筆は今から百年ほど前に製造されたものです。古いですが状態はとてもよいですよ。今ならインクを無料でおつけしますが、いかがですか？」

そうすすめられて、お姉ちゃんは「夢乃が気に入ったなら買ってあげるよ」って言ってくれたけど、それはなんだかちがうなって思った。だから自分でお小遣いをはたいて買って、その青い万年筆を大事に家に持って帰ったんだ。

その日の晩、夢を見たの。十代後半くらいの男の人が、机に向かってせっせと手紙を書いている夢。その便箋をのぞきこむと、『あなたに会えてうれしい』『ずっとあなたを待っていました』って書いてあったから、きっとラブレターだね。男の人は下を向いているから顔はよく見えないんだけど、手に持っているのはわたしが買ったものとまったく同じ、青い万年筆だった。

それから毎晩、わたしはこの夢をくり返し見るようになったの。

「……え、それはちょっと怖いね。夢に出てきたその男性って、もしかして青い万年筆の前の持ち主だったりして」

わたしが両腕をさすると、夢乃は遠くを見るような目をした。

「うん、わたしもそう思った。わたしが夢で見たのは、青い万年筆の前の持ち主の記憶で、持ち主は何通ものラブレターを、この万年筆で書いていたんじゃないか、って」

――どうしても夢が気になって、わたしは青い万年筆を買った骨董店にもう一度行って、店主のおじいさんに事情を話したんだ。おじいさんは「私の知る限りでは、あの万年筆の所有者はいないのですが……」と首をかしげて、それから微笑んでこう言ったの。

「物も百年たてば魂をもつといいます。もしかしたら、万年筆に宿った魂があなたに恋をして、それで夢に現れたのかもしれませんね」

物が人に恋をするなんて、そんなまさかって思ったよ。でもその日の晩、夢が少し変わった。例の男の人はラブレターを書き終えたみたいで、便箋を封筒に入れると、はずかしそうに下を向いたまま、なんとわたしに差し出してきたの。

もうすごくびっくりしたんだけど、わたしの手は自然にその手紙を受け取ってて。そうしたら男の人はぱっと顔を上げて、心の底からうれしそうに笑ったの。その瞳は、わたしが買ったあの万年筆と同じ色、ラピスラズリのような青だったんだ。

「その夜を境に、同じ夢を見ることはなくなった。そういうことがあって、この青い万年筆をなんだか離せなくなっちゃったの。実際に使うのは、家で日記を書く時だけなんだけどね」

夢乃の手が、胸ポケットに差した万年筆に触れる。その青い万年筆が夢乃に恋をしているのかどうかは、もちろんわからない。けれど、日記に異性の名前を書こうとすると、なぜか途中でインクがかすれて書けなくなるのだと、夢乃は笑った。

♥ episode - 19

二週間の彼女

目が覚めたら、直近二週間の記憶がなくなっていた。

トラックと乗用車の衝突事故に巻きこまれた際に、頭を打った影響らしい。それ以前の記憶はしっかりとあり、物の名前がわからない、なんてこともなかった。ただただ、すっぽり二週間分の記憶が抜けていて「人間の脳には不思議なことも多いんです。それくらいで済んでよかった」と医師には言われた。

そんなふうに二週間分の記憶を失ったぼくのもとに、大学で同じゼミに所属している、羽山凛々さんがお見舞いにきてくれた。肩の上で切りそろえられたボブヘアがよく似合う、丸い目が印象的な小柄な女の子だ。

同じゼミの仲間とはいえ、個人的にお見舞いにきてくれるなんてと、本当に恐縮した。

「わざわざ、ありがとう」

礼を言ったぼくに、羽山さんは「当たり前だよ」と答える。

「だって、彼氏のお見舞いだもん」

そして、羽山さんは——凛々は、自分はぼくの彼女だと告げた。


ぼくと凛々がつき合いはじめたのは、ぼくの記憶がすっぽり抜け落ちている、まさに最初の日、二週間前のことだという。

「ゼミのあとに、わたしのノートをコピーしたいって和希くんに言われて。一緒にコンビニに行って、そのあとに告白してくれたんだよ」

退院後に自室を確かめると、彼女の言葉を裏づけるように、ノートのコピーとその日付のコンビニのレシートがあった。他にも、彼女とのメッセージの履歴や、ツーショットの写真もスマホには残っていた。彼女とつき合っていたというのは、どうやら本当のことらしい。

二週間前にぼくから告白したということは、少なからず、ぼくはその前から彼女のことを好いていたということになる。だというのに、それについてはまったく記憶がなく、ぼくが忘れてしまったのは、二週間分の記憶と、彼女に抱いていた恋心のふたつだと判明した。

「好きだったかどうか覚えてないんじゃ、もうつき合えないかな……」

凛々は弱々しい笑みを浮かべ、その目をうるませた。

こちらから告白してつき合ったくせに、事故のせいとはいえ一方的に忘れてしまったなんて、ひどい話にもほどがある。愛想をつかして別れるとなってもおかしくないというのに、彼女はこんなにも悲しそうにしてくれている。

どうしようもなく胸がしめつけられて、ぼくは提案した。

「忘れた二週間のことを思い出せるかは、わからないけど、それでもよければ、彼氏のままでいてもいいかな」

凛々はぼくの提案に、うれしそうに「もちろん！」と返してくれた。

記憶と恋心を忘れてしまったものの、幸いにもぼくに大きなケガはなく、数日の検査入院ののちに退院、大学に復帰した。

大学を休んでいる間の講義や課題については凛々が教えてくれ、ふたりで図書館で勉強をしていると、友人たちにからかわれた。

「ふたり、仲いいじゃん」

そんな周囲の反応に、ぼくは照れると同時に、改めてホッとした。彼女とつき合っていたのは、やっぱり本当のことだったのだなと確信できた。

凛々はよく笑う子で、ぼくのなんでもない話をいつも熱心に聞いてくれた。ぼくは高校時代から古い洋楽が好きで、そういう話をしても彼女は興味しんしんという顔をしてくれる。

「こんな話、おもしろくないよね」

われながら、マニアックすぎる話をしているのではないかと反省した。

けど、凛々は「そんなことないよ」と明るく答える。

「前にも教えてくれたから、聴いてみたんだ。その曲、すごくよかったよ」

どうやら、以前のぼくも彼女に自分の趣味を押しつけていたらしい。イヤな顔もせず聴いてくれたなんて、ありがたくてうれしくて、胸がキュンとしてしまう。

なので、ぼくも彼女の好きなものに興味をもちたくて、あれこれ質問した。

「わたしが今ハマってるのは、お菓子づくりかな」

正直なところ、甘いものはそんなに得意じゃなかった。けど、「食べてみたい」と伝えた。凛々がつくったものなら食べたいというのは、まぎれもない本心でもある。

すると、凛々はその丸い目をさらに大きくしてくれた。

「じゃあ、甘さ控えめのスコーンつくる！　チーズとペッパー入れようかな」

楽しそうにしてくれる凛々に、ぼくまでほっこりしてしまう。

彼女がこの子でよかったと思った。

その週末、ぼくは凛々とデートをすることになった。

記憶のない二週間の間にもぼくらはデートをしたそうなので、同じ場所に行ってみようとぼくから提案したのだ。

「何か思い出すかもしれないし」

凛々はなぜか気乗りしない様子で、「他の映画にしない？」と何度も聞き、最後は承諾した。ぼくらが初めてのデートをしたのは映画館で、観たのは大ヒット中のアニメ映画。ロングラン公開中だったので今回も観られた。

映画館の席に着いてから、ぼくはハッとして凛々に聞いた。

「同じ映画を二回も観るなんて、楽しくないよね」

凛々が別の映画を勧めていたのは、そのせいだったのかもしれない。ぼくはどうにも気が利かない。

けど、凛々は「平気」と返した。

「二回でも三回でも観られるよ。わたし、このアニメ大好きだから」

映画の内容はファミリー向けで、ハラハラする展開もありおもしろかったけど、ぼくには少し退屈な部分もあった。けど、隣で観ている凛々はアニメのキャラクターたちと一緒に笑ったり悲しい顔をしたりと表情豊かで、見ているだけでとても愉快だった。映画よりも、凛々の観察をしているほうが楽しい。

「あー、おもしろかった！」

上映が終わって目をキラキラさせている凛々に、ぼくも「おもしろかった」と伝えた。

ぼくは、凛々が彼女になってくれた二週間のことを忘れてしまったままだった。それでも、ふたりで過ごす時間は楽しく、しだいにそんなことはどうでもよくなっていった。大学でも、大学の外でも、ぼくは彼女と一緒に過ごした。「ふたりは本当に仲がいいんだね」とだれかに言われるたびに、自慢したくてたまらなくなった。凛々はかわいくて楽しくて、本当に最高の彼女だった。かつてのぼくが彼女に恋をしたのも納得だった。

そうしてふたりの交際が順調な中、ぼくが交通事故にあってから、ちょうど二週間がたとうとするころだった。

その日の昼過ぎ、ぼくはひとりで大学の図書館にいた。その時間は凛々とは別の講義を取っていて、ぼくの講義だけ休講になってしまったのだ。

凛々の講義が終わったらどこに遊びに行こうか。そんなことを考えていたその時、「よっ」と不意に声をかけられた。ゼミ仲間の男子、楠だ。

「今日はひとり？」

楠はぼくに許可を得ることなく、隣の席に座った。図書館は基本的におしゃべりが禁止。楠はぼくに体を少し寄せて声を潜める。

「結局、凛々とうまくやれてんのな。よかったじゃん」

友人たちに凛々との仲をからかわれるのは日常茶飯事だ。けど、楠のそんな言い方には、なんとなく引っかかるものがあった。

「それ、どういう意味？」

「どういうって――」

そうして楠は、記憶が失われた二週間のことを話してくれた。

凛々の講義が終わったあと、ぼくらは図書館の前で待ち合わせをした。

「今日はどこに行く？」

凛々と行きたいお店はたくさんあったし、観たい映画も山のようにあった。このままなんでもない顔をして、いつも通りデートをしたらいいんじゃないかという考えも、一瞬脳裏をよぎった。

けど、ぼくは大学の近くにあるカフェの名を口にした。

「ちょっと、話したいことがあるんだ」

そうして、凛々と何度も来たことがあるカフェに入った。凛々はカフェオレを、ぼくはブレンドコーヒーを注文して席に着く。

「改まって、話ってどうしたの？」

「さっき、図書館で楠と話したんだ」

「あぁ、楠くん……」

凛々はカフェに来てから、ずっと不安げな表情をしていた。申しわけないような気持ちで胸が痛むのを感じながらも、ぼくは話し出す。

「楠が教えてくれた。事故にあう二週間前、ぼくは、凛々に告白してないって」

ぼくと凛々がつき合っていたことは本当。

でも、先に告白してきたのは凛々のほう。

「ぼくは……凛々のことは友だちだとは思っていたけど、そういうふうには見てなかったって。けど、告白されて、他に好きな人がいないならつき合ってほしいって強く頼まれて、それでOKしたらしい」

やはり、あの事故でぼくが失ったのは、二週間分の記憶だけだったのだ。

凛々への恋心は、そもそももっていなかった。

「つき合うことにOKはしたけど、うまくいってなくて悩んでて。それを、楠に相談していたらしい」

好きな音楽の話をしても、凛々は申しわけなさそうにするばかり。

甘いものが苦手なので、彼女のつくったクッキーを食べられない。

一緒に映画を観ていても、そのおもしろさがさっぱりわからない。

「おたがいのためにも、やっぱり別れたほうがいいんじゃないかって」

そうして、凛々に別れを切り出そうと決めた、まさにその日。

ぼくは交通事故にあって、きれいさっぱりすべてを忘れてしまった。

「どうして、嘘をついてたの？」

凛々はすっかり青白い顔になっている。そっとまぶたを閉じ、静かに深呼吸すると、
やがて小さな声で話し出した。

「和希くんがわたしのこと、そんなに好きじゃなさそうなのも、別れようと思ってるのも、なんとなくわかってたんだ。そんな時に事故があって、和希くんの二週間分の記憶がなくなってて……チャンスだと思った。やり直せないかなと思って、それで」

やたらとからかってくる友人たちの姿が脳裏によみがえる。あれはもしかしたら、以

前のギクシャクしていたぼくたちを知っていたからこそだったのかもしれない。

「嘘をついて、ごめんなさい」

凛々は手の甲でごしっと目元をぬぐい、席を立とうとした。けど、その細い手首をあわててつかむ。

「嘘をつかれてたのは、びっくりした。でも……」

凛々を再び席に座らせ、その小さな手を握った。

「そんなのどうでもいいくらい、この二週間、すごく楽しかったんだ」

ぼくの話をいつも興味しんしんに聞いてくれ、音楽も聴いてくれていた。

甘いものが苦手なぼくのため、甘さ控えめのスコーンをつくってくれた。

以前ぼくがおもしろくなさそうだった映画を観るのを、止めようとした。

凛々は必死にぼくに歩み寄ろうと、理解しようとしてくれていた。それがうれしくてありがたくて、気づけば同じように返したくなっていた。そうやって互いに知っていくうちに、もっともっと一緒にいたくなった。

「……前はわたし、和希くんとつき合えることになって浮かれてたの。気持ちを押しつけるだけで、和希くんのこと、なんにも考えられてなくて、自分勝手で。だから、今度こそちゃんと向き合いたかった」

「ぼくは……前の二週間のことは、正直、今でもまったく思い出せないんだ。でも、凛々がそういうふうにしてくれたから、ぼくも向き合いたいって思えるようになった。だれかのことをこんなふうに大事に思えたの、初めてなんだ」

つないだ手に力をこめる。

「凛々のことが好きだ。この二週間で、ちゃんと好きになった」

凛々の大きな丸い目から、大粒の涙があふれて頬を伝う。

そして、今度は自分から伝えた。

「ぼくとつき合ってください」

凛々は、泣きながら何度も何度もうなずく。失った二週間のおかげで知れた彼女のことを、これから二週間よりもっと長い時間をかけて、知っていけたらいいなと願う。

● 執筆担当

落合 由佳（おちあい・ゆか）

栃木県出身。著書に『マイナス・ヒーロー』『流星と稲妻』『天の台所』『要の台所』（以上、講談社）、『こはなへようこそ！ しあわせ運ぶお弁当屋さん』（ＰＨＰ研究所）などがある。

神戸 遥真（こうべ・はるま）

千葉県出身。『笹森くんのスカート』（講談社）で令和５年度児童福祉文化賞受賞。他の著書に「Ｅバーガー」シリーズ、『ぼくらの胸キュンの作り方』（以上、講談社）、「ぼくのまつり縫い」シリーズ（偕成社）などがある。

ココロ 直（こころ・なお）

佐賀県出身。『夕焼け好きのポエトリー』で２００２年度ノベル大賞読者大賞受賞。少女向けライトノベルを中心に執筆。他の著書に「メランコリック」シリーズ、『夕凪修理館と秘密に満ちた客人たち』（以上、PHP 研究所）などがある。

八谷 紬（はちや・つむぎ）

宮城県出身、京都府在住。2016 年『15 歳、終わらない３分間』（スターツ出版）でデビュー。他の著書に『いつか、君がいなくなってもまた桜降る七月に』（スターツ出版）、『京都上賀茂、神隠しの許嫁』（ポプラ社）などがある。

装丁・本文デザイン　根本綾子（Karon）
カバーイラスト　ふすい
本文イラスト　花宮かなめ
DTP　山名真弓（Studio Porto）
校正　株式会社夢の本棚社
編集制作　株式会社 KANADEL

３分間ノンストップショートストーリー
ラストで君は「キュン！」とする　君との365日

2024 年 8 月15日　第 1 版第 1 刷発行
2025 年 3 月 6 日　第 1 版第 2 刷発行

編　者　PHP 研究所
発行者　永田貴之
発行所　株式会社ＰＨＰ研究所
東京本部　〒 135-8137　江東区豊洲 5-6-52
児童書出版部　TEL 03-3520-9635（編集）
普及部　TEL 03-3520-9630（販売）
京都本部　〒 601-8411　京都市南区西九条北ノ内町 11
PHP INTERFACE https://www.php.co.jp/
印刷所・製本所　TOPPANクロレ株式会社

© PHP Institute,Inc.2024 Printed in Japan

ISBN978-4-569-88182-9

※本書の無断複製（コピー・スキャン・デジタル化等）は著作権法で認められた場合を除き、禁じられています。また、本書を代行業者等に依頼してスキャンやデジタル化することは、いかなる場合でも認められておりません。
※落丁・乱丁本の場合は弊社制作管理部（TEL 03-3520-9626）へご連絡下さい。送料弊社負担にてお取り替えいたします。

NDC913　191P　20cm